HISTORIA DEL FUTURO
SEGÚN GLORY O'BRIEN

A. S. King

Historia del futuro
según Glory O'Brien

PUCK

Argentina – Chile – Colombia – España
Estados Unidos – México – Perú – Uruguay – Venezuela

Título original: *Glory O'Brien's History of the Future*
Editor original: Little, Brown and Company – Hachette Book Group, New York
Traducción: Camila Batlles Vinn

1ª edición Enero 2016

Todos los nombres, personajes, lugares y acontecimientos de esta novela
son producto de la imaginación de la autora, o son empleados como entes
de ficción. Cualquier semejanza con personas vivas o fallecidas es mera
coincidencia.

Copyright © 2014 by A. S. King
All Rights Reserved
© de la traducción 2016 *by* Camila Batlles Vinn
© 2016 *by* Ediciones Urano, S.A.U.
　　Aribau, 142, pral. – 08036 Barcelona
　　www.mundopuck.com

ISBN: 978-84-96886-49-0
E-ISBN: 978-84-9944-929-6
Depósito legal: B-27.486-2015

Fotocomposición: Ediciones Urano, S.A.U.
Impreso por: Rodesa, S.A. – Polígono Industrial San Miguel
Parcelas E7-E8 – 31132 Villatuerta (Navarra)

Impreso en España – *Printed in Spain*

Para mis chicas

«El futuro no es más incierto que el presente.»
WALT WHITMAN

PRÓLOGO

El clan del murciélago petrificado

De modo que las dos nos lo bebimos. Primero Ellie, que hizo un gesto indicando que sabía bien. Luego lo bebí yo. Y no estaba mal.

Cuando nos despertamos a la mañana siguiente, todo era distinto. Podíamos ver el futuro. Podíamos ver el pasado. Podíamos verlo *todo*.

Podrías preguntar: «¿Por qué os bebisteis un murciélago?» O: «¿Cómo os bebisteis un murciélago?» O: «¿Quién haría algo semejante?»

Pero en ese momento nosotras no pensábamos en esas cosas. Es como ir a bordo de un tren veloz que choca contra algo y que alguien te pregunte por qué no saltaste antes del choque.

No habrías saltado porque *no podías* hacerlo. El tren iba a demasiada velocidad.

Además, no sabías que iba a chocar. ¿Cómo ibas a saberlo?

LIBRO PRIMERO

El origen de todo

El colegio es como todo lo demás. De pequeña
vas porque te obligan a ir y tienes que obedecer.
Luego sigues estudiando porque alguien
te ha dicho que es importante. Es como
si fueras un tren dentro de un túnel.
La graduación es la luz que hay al final de ese túnel.

Friquis *hippies* raritos

Ellie Heffner me dijo que el día que se graduara sería el día en que abandonaría a su familia y se fugaría para siempre. Venía diciéndomelo desde que teníamos quince años.

—Son unos friquis —dijo—. Unos friquis *hippies* raritos.

Yo no podía contradecirla. Era verdad que vivía con unos friquis *hippies* raritos.

—¿Volverás algún día para visitarme al menos? —pregunté.

Ella me miró, decepcionada.

—Pero ¿aún estarás aquí?

Me quedaba una semana. Tres días más de instituto: lunes, martes, miércoles, un oficio religioso opcional el viernes y luego esperar el fin de semana hasta graduarme el lunes. Cada semana seguía recibiendo por correo tarjetas postales y cartas de escuelas universitarias y universidades. Y seguía arrojándolas a la papelera sin abrirlas.

Era domingo por la noche y Ellie y yo estábamos sentadas en los escalones de mi porche delantero, frente a su casa, situada al otro lado de la calle.

—No lo sé —respondí—. No tengo ni idea de dónde estaré.

No podía decirle la verdad acerca de dónde pensaba que estaría. Estuve a punto de hacerlo en algunos momentos, momentos de debilidad en que era presa del temor. Estuve a punto de contárselo todo. Pero Ellie era… Ellie. Desde que éramos pequeñas, cambiaba las reglas del juego a mitad de la partida.

No le vas a contar tus secretos más importantes a una persona así, ¿verdad?

En cualquier caso, faltaba una semana para que me graduara. Tenía cero planes, cero opciones, cero amigos.

Pero eso tampoco se lo dije a Ellie porque ella creía que era mi mejor amiga.

Era complicado.

Siempre había sido complicado.

Siempre sería complicado.

El origen del murciélago

El murciélago vivía en casa de Ellie. Lo vimos por primera vez un fin de semana de febrero. Ellie señaló el pequeño bulto de pelo que estaba metido en un rincón del porche trasero y dijo:

—Mira. Un murciélago que está hibernando.

Lo vimos de nuevo en marzo y no se había movido. Hablamos sobre el inminente despertar del murciélago y que no tardaría en posarse en la superficie del estanque de Ellie para atrapar insectos recién nacidos y tocar el agua con las puntas de sus pequeñas alas.

Pero llegó la primavera y el murciélago no se movió. No se posó sobre el agua. No parecía alimentarse de los suculentos insectos del estanque del barrio. Uno de sus codos —suponiendo que los murciélagos tuvieran codos— sobresalía un poco, como si estuviera roto o algo parecido. Ellie y yo comentamos que quizá tuviera una lesión o un defecto de nacimiento.

—Le pasa como a mí, que no puedo doblar este dedo del todo desde que me lo rompí —dijo Ellie, mostrándome el índice de su mano derecha.

La vida en la comuna de Ellie era diferente. Aprendían a utilizar un martillo antes de aprender a andar. No tenían nada de plástico. Se balanceaban en columpios de confección casera cuyo asiento consistía en una tabla de madera. Jugaban en el estanque helado sin que los vigilara ningún adulto y se ocupaban de los animales. Ellie estaba a cargo de las gallinas. Un día, cuando tenía siete años, se partió el dedo mientras trataba de reparar el gozne de la puerta del gallinero con un martillo.

Yo estaba convencida de que el murciélago había dejado de hibernar y simplemente anidaba allí por las noches, en el mismo lugar, debajo del alero del porche trasero de Ellie. Si hubiéramos sido inteligentes, esa tarde nos habríamos quedado allí hasta el anochecer para observar al murciélago marcharse a fin de satisfacer nuestra curiosidad con respecto a él, pero no lo hicimos. Ellie tenía que realizar sus tareas en la comuna y también tenía un novio secreto. Yo tenía que hacer deberes y pocas ganas de estudiar. Preferíamos pensar que al murciélago no le pasaba nada.

Cuando nos encontramos el lunes de Pascua, a fines de abril, el murciélago seguía allí, con el codo apuntando hacia el este como llevaba haciendo desde el invierno. Ellie tomó una rama, lo tocó con ella y luego la olfateó.

—No huele mal —dijo—. Y no hay moscas ni nada por el estilo.

—¿Los murciélagos no tienen pulgas? —pregunté—. He oído decir que tienen pulgas y garrapatas y esas cosas.

—Yo creo que está muerto —contestó Ellie.

—No parece que esté muerto —comenté.

—Tampoco parece que esté vivo —insistió Ellie.

Lo tocó de nuevo con la rama y el murciélago no se movió. Entonces Ellie insertó la rama entre las tablas de revestimiento para desplazar al murciélago de un golpe y éste aterrizó en las azucenas estivales de su madre. A continuación, Ellie metió la mano entre las flores de color verde lima y sacó a aquella rareza de bicho: perfectamente intacto, con su pelo, con sus globos oculares, con sus alas casi transparentes plegadas como si estuviera descansando.

Nos inclinamos para contemplarlo.

—Está petrificado —dijo Ellie.

—Más bien momificado —añadí.

Ellie ignoró mi rectificación y tras dejar al murciélago en una mesa de pícnic entró en la casa en busca de un tarro. Yo saqué una foto del tarro. La titulé mentalmente *Tarro vacío*.

—No pesa nada —observó Ellie, tanteando el peso del murciélago en la palma de la mano—. ¿Quieres tocarlo antes de que lo meta en el tarro?

Extendí las manos y ella depositó el murciélago en mi palma mientras ambas lo observábamos. Aunque estaba muerto, Ellie parecía verlo como una nueva mascota que se había encontrado y que necesitaba una madre. Cuando lo metí dentro del tarro, ella lo cerró con la tapa y dijo:

—¡Yo te bautizo el murciélago petrificado! ¡Oíd, oíd, el murciélago petrificado es rey!

—Quizá sea una reina —apunté yo.

—Da lo mismo —respondió Ellie. Lo miró a través del cristal—. Está vivo y muerto al mismo tiempo.

—Ya.

—Es lo más cerca que me he sentido de Dios —dijo Ellie.

—Amén —apostillé con tono sarcástico. Porque Ellie decía a veces esas cosas, lo cual me fastidiaba. Porque teníamos diecisiete años y era una tontería que nos hubiéramos encontrado un murciélago y nos comportáramos como si fuera algo especial. Eso lo hacen los críos de nueve años.

Pero de pronto me puse seria.

—Espera un momento. Deja que lo mire.

Ellie me entregó el tarro y miré el diminuto montón de pelo momificado.

—Quizá sea realmente Dios —comentó.

El murciélago estaba muerto pero de alguna forma representaba la vida porque parecía vivo. Ese pequeño bulto que pesaba menos que una pluma era al mismo tiempo misterioso y obvio.

—Lo pondremos en el cobertizo —propuso Ellie—. Mi madre no lo encontrará nunca allí porque es donde guardamos los productos de limpieza.

La madre de Ellie no era partidaria de la limpieza.

Mi madre había muerto y yo no sabía si había sido una obsesa de la limpieza o no.

La balada de Darla O'Brien

La muerte de mi madre no fue oportuna, como sucede en tantas historias sobre niños, tanto si éstos guardan murciélagos muertos en tarros como si sienten atracción por bestias que habitan en castillos rodeados por un bosque. No murió para ayudarme a superar un obstáculo por mí misma o para convertirme en un personaje más atractivo.

Su presencia me perseguía, no en el típico sentido hollywoodiense. No había sábanas flotando ni cadenas arrastrándose por el suelo por las noches cuando me dirigía de puntillas al baño para hacer pis.

Mi madre, Darla O'Brien, era fotógrafa. Su espíritu rondaba por las paredes de nuestra casa, por las fotografías que colgaban en ellas. Siempre estaba allí y nunca estaba allí. Nunca alcanzábamos a verla, pero yo veía sus fotografías todos los días. Era una excelente fotógrafa, pero no se hizo famosa porque no vivíamos en Nueva York. Al menos, al parecer eso era lo que ella decía.

Morirse tampoco la hizo famosa.

En cualquier caso, tener una madre difunta no resulta oportuno, y menos cuando murió porque metió la cabeza en el horno y abrió la llave del gas.

Eso no es oportuno.

No obstante, yo diría que es bastante oportuno tener una máquina de la muerte en tu cocina esperando el momento en que reúnas el valor suficiente para hacerlo. Más oportuno que esos restaurantes de comida rápida donde te sirven en el coche. Ni siquiera tienes que salir de casa para meter la cabeza en el horno.

Ni siquiera tienes que quitarte la bata y vestirte.

Ni siquiera tienes que llevar a tu hija a la guardería el día que toca aprender la letra «N» cuando ésta se dispone a mostrar su colección de bellotas. No tienes que acordarte de hacer otra cosa que inspirar y espirar.

Ésos son los aspectos oportunos.

Lo inoportuno es: vivir en un mundo donde nadie quiere hablar contigo sobre tu difunta madre porque a la gente le incomoda.

Lo inoportuno es: no tener una madre presente en la graduación de la escuela secundaria. No tener una madre cuando traté de afeitarme las axilas. No tener una madre cuando me vino la regla. Mi padre trató de ayudarme, pero por muy feminista que sea, no es una mujer.

Siempre supe que un día sería muy inoportuno no tener una madre presente en la graduación del instituto. Durante las últimas semanas del último curso todas las chicas de mi clase no hacían más que hablar sobre comprarse vestidos y zapatos, y yo sólo pensaba en lo insignificantes que me parecían esas cosas.

Me quedaba sentada en clase pensando: «Zapatos. Vestidos. Tonterías desechables.»

Me quedaba sentada en clase pensando: «¿Adónde voy?»

Aunque mis deberes como fotógrafa del anuario del instituto habían concluido porque el libro estaba terminado, seguía llevando mi cámara a todas partes. Tomaba instantáneas de las chicas charlando sobre sus vestidos y zapatos. Tomaba fotografías de mis profesores tratando de impartir clase en aulas casi vacías. Tomaba fotografías de las personas que se consideraban mis amigas, pero a las que yo no me había abierto nunca del todo.

No dejé que nadie firmara mi anuario. Pensé: ¿Para qué fingir?

Todo sabía a radiaciones

Ellie había dejado de estudiar en la escuela pública conmigo desde que terminamos segundo de secundaria, y durante los cuatro años desde entonces me había dicho tropecientas veces: «La escolarización en casa es más rápida porque no tienes que repetirlo todo cada vez». Quizá fuera verdad. O quizá no. Yo pensaba que la escolarización en casa era otra forma de impedir que los niños de la comuna conocieran el mundo real.

A mí no me gustaba el mundo real, pero me alegraba de conocerlo.

A Darla O'Brien tampoco le gustaba el mundo real, así que había metido la cabeza en el horno.

A mi padre le encantaba el mundo real. Lo devoraba. Literalmente. Ahora pesaba ciento diez kilos. Lo cual no es un mal peso a menos que midas un metro sesenta y tres de estatura y de joven pesaras cincuenta y cinco kilos.

Mi padre no había reemplazado el horno. Ni siquiera por uno eléctrico. Nuestra cocina no había vuelto a tener un horno desde el día de la letra «N». Sólo un congelador lleno de comida que podías preparar en el microondas.

Todo sabía a radiaciones.

Ellie no venía a mi casa cuando cocinábamos porque creía que los hornos microondas producían cáncer. No comprendía por qué no teníamos una gigantesca cocina tradicional como tenían en la comuna, en la que podías preparar conservas y escaldar y hacer mermelada para el invierno.

—Eso no puede volver a ocurrir —me dijo Ellie una vez. Se refería a que Darla metiera la cabeza en el horno.

—No, supongo que no puede volver a ocurrir —respondí.

Pero podría volver a ocurrir, ¿no? Aún había dos personas en mi casa. Una de ellas era yo. Cada vez que pensaba en lo que había dicho Ellie, se me revolvía el estómago. A veces me provocaba diarrea. A veces vomitaba. No era tan fácil como «no puede volver a ocurrir». Cualquiera que supiera lo que había hecho Darla, sabía que podía volver a ocurrir, porque a menudo eso es hereditario. Pero Ellie decía cosas sin pensar. Lo cual también era hereditario.

La madre de Ellie, Jasmine Blue Heffner, opinaba que el horno microondas no era distinto de una bomba atómica porque había sido inventado por una empresa contratista del departamento de Defensa durante la Segunda Guerra Mundial.

Yo pensaba que cuando llegara el momento de que Ellie hiciera el examen de ingreso a una universidad o bien sería más inteligente que yo porque había *aprendido más rápido* estudiando en casa, o que Jasmine Blue le habría lavado tanto el cerebro que no aprobaría el examen porque estaba convencida de que un horno microondas era lo mismo que una bomba atómica.

Por más que Ellie defendiera ante mí la utilidad de la escolarización en casa, en el fondo sabía lo que se estaba perdiendo. Desde el día en que dejó de tomar el autobús escolar amarillo conmigo, empezó a quejarse de la comuna. Era como si el colegio fuera su única conexión con el mundo real, y al quebrarse esa conexión se sintiera como un ave enjaulada.

Me preguntaba qué se ponían las otras chicas para ir al colegio. Me preguntaba sobre maquillaje. Me preguntaba sobre chicos, programas de televisión, redes sociales, bailes, torneos deportivos.

Principalmente me preguntaba sobre sexo, aunque teníamos catorce años recién cumplidos.

—¿Habéis dado hoy clase de educación sanitaria? —me preguntó un día.

—Sí.

—¿Os han hecho ya la demostración del condón?

—Hoy nos han hablado sobre la metadona —respondí.

Le expliqué que en rigor la educación sexual no empezaba hasta primero de bachillerato, lo cual pareció decepcionarla.

—Me parece demasiado tarde para que nos informen sobre el sexo.

—Ya. Para entonces, ya lo sabremos todo —dije.

Sabíamos lo suficiente. Yo tenía Internet en casa. (Ellie no tenía Internet. Jasmine Blue opinaba que Internet era una bomba atómica llena de pornografía y mentiras. Por ese orden.) Nosotras lo habíamos buscado en Google cuando cursábamos penúltimo de primaria. Primero habíamos buscado «pene». Buscábamos imágenes. Ése fue el día en que encontramos el pene de mantequilla. Un pene esculpido en mantequilla, anatómicamente correcto. Bromeamos sobre ello. «¿De qué sirve si se derrite? Apuesto a que sabe mejor que uno de verdad.» Nos preguntamos por qué esculpiría alguien un pene de mantequilla. Pero luego encontramos pasteles en forma de pene, moldes de caramelos en forma de pene y piruletas en forma de pene, y llegamos a la conclusión de que los adultos eran unos guarros.

Eso fue lo único que descubrimos en penúltimo de primaria. Que los adultos eran unos guarros. No había vuelta de hoja.

Ese día hicimos una promesa. Prometimos que, en cuanto tuviéramos relaciones sexuales, nos lo contaríamos la una a la otra. Ambas dudábamos, en penúltimo de primaria, de que eso sucediera alguna vez, pero si sucedía, nos lo contaríamos y hablaríamos de ello.

En secundaria, antes de que empezara a cursar sus estudios en casa, Ellie se convirtió en una experta, como si se estuviera preparando para el acontecimiento más importante de su vida. Pedía a sus amigas que le compraran las últimas revistas femeninas y hablaba sobre orgasmos y bailes y *cómo complacer a tu hombre*. A veces me daba las revistas para que se las guardara. Yo tenía debajo de mi cama una caja que contenía sus artículos de contrabando. Principalmente revistas y sombras de ojos. Un condón que le había dado una vez un chico al que apenas conocía. La sección de fin de semana de un periódico con una página de bailarinas exóticas, con nombres como *Amor de Cuero, Nieve de Encaje, Ana la Tímida,* las cuales trabajaban en los bares locales donde realizaban el *lap dance*. A veces yo hojeaba también esas revistas. Ante Ellie fingía que no me interesaban. Pero no era verdad.

Ante los demás, fingía que no me interesaban las cosas que empezaban a interesar a las chicas en secundaria —la ropa y los zapatos que molaban, el rímel, los productos para el pelo, el sexo—, pero no era cierto. Me interesaba el *porqué*. *¿Por qué? ¿Por qué nos interesan tanto estas cosas?*

No estaba segura de por qué me importaba el que no me interesaran. O por qué no me importaba el que no me interesaran.

Supuse que tenía algo que ver con el tema del que todo el mundo evitaba hablar, que era Darla. De haber vivido Darla, quizá me habría orientado. O algo.

La educación sexual que Jasmine Blue impartía en sus clases en casa se reducía a un simple mantra: *Si lo haces demasiado pronto, te arrepentirás.* Yo observé cómo cada vez que alguien mencionaba ese mantra Ellie se volvía más curiosa y más rebelde y más decidida a practicar sexo porque quería poner a prueba la teoría de Jasmine.

—¿Cómo crees que debe de ser? —me preguntaba, aunque sabía que no me gustaba hablar del tema. Supongo que pensaba que como ella tenía catorce años y le picaba la curiosidad, a mí me ocurría lo mismo.

—No lo sé —respondía yo—. Ni me importa.

—¿No te importa? ¿En serio? Anda ya. Claro que te importa.

No me importaba.

—¿Y ese chico del autobús que te gustaba? ¿No pensaste nunca en hacerlo con él? —preguntó.

—¿Markus Glenn?

—Sí.

—¿No te acuerdas? Era un pervertido.

Ellie se mordisqueó una uña que le molestaba.

—¿Qué hizo?

—Es el tipo del porno.

—Ahhh. Ya. Ése —dijo Ellie—. Entonces ¿quién te gusta ahora?

—Nadie.

Nunca le dije que después de que Markus Glenn me enseñara

esas fotos en su ordenador cuando íbamos a primero de secundaria, me pidió que le tocara donde sus calzoncillos estaban tiesos como una barra. Cuando me negué a tocarlo y le dije que me iba a casa, contestó:

—Nunca serás una verdadera mujer si te comportas de esa forma, para que te enteres. Además, ¡estás lisa como una tabla!

No dije a Ellie que a partir de ese momento no quise tener pechos porque los chicos como Markus Glenn los mirarían. No le dije que a partir de ese momento a veces no sabía qué aspecto debía tener una mujer.

—¿Sólo te ha gustado un chico en toda tu vida? No me lo creo.

—Ya te lo he dicho. No me importa —respondí.

Tomé mi cámara, la sostuve frente a mí a la distancia del brazo y me saqué una foto mostrando que no me importaba. La titulé: *A Glory no le importa*.

El sistema de zonas

Durante esos últimos días, todo el mundo en el colegio posó para mí. Antes, pillaba a mis compañeros trabajando en sus mesas, o haciendo un trabajo de investigación en el laboratorio de ordenadores, o leyendo en la biblioteca. Nunca alzaban la vista. El lunes, tres días antes de que terminaran las clases, pusieron caras divertidas. El martes, se abrazaron mucho. El último día de clase para los alumnos de último curso, el miércoles antes de la graduación, todos miraron a mi cámara sonriendo o abrazando a algún compañero y comportándose como si no fueran a verse nunca, como si no fueran a celebrar nunca una reunión de la clase, como si todos fueran a morirse el día de la graduación. El temor era visible en sus rostros, enmascarado por la alegría, pero estaba allí. Tomé una fotografía tras otra, aunque no pensaba compartirlas.

—¡A nosotras! ¡A nosotras! —dijeron unas chicas de la banda de jazz. *Clic.*

—¿Nos haces una foto? —me solicitaron unos chicos. *Clic.*

—¡Eh, Glory! ¡Sácanos una foto a nosotras! —me pidieron las animadoras del equipo de fútbol americano abrazadas unas a otras. *Clic.*

Cuando me dirigía a almorzar por última vez, vi a tres chicas que nunca me habían tenido simpatía debido a la pegatina de EL FEMINISMO ES LA IDEA RADICAL DE QUE LAS MUJERES SON PERSONAS que mi padre lleva en el parachoques del coche. Una de ellas había afirmado en último curso de secundaria que yo era lesbiana.

—¡El último día que almorzamos aquí! Anda, sácanos una foto comprando nuestro último y repugnante almuerzo en el instituto.

Hice lo que me pedían.

Pero no se percataron de que enfocaba los *nuggets* de pollo, las revenidas patatas fritas y el engrudo de ensalada de macarrones en sus platos en lugar de sus estúpidos rostros.

Podría parecer que yo era popular en el instituto, y es cierto que con mi cámara lo era. Con ella me sentía segura. Me daba cierto prestigio ante las personas que querían que les sacara una foto. Me permitía colocarme detrás de la cámara en lugar de frente a ella. Incluso me salté la fotografía de grupo en la que debía figurar para el anuario. Tampoco me tomaron una foto individual. En lugar de ello, entregué una que me había hecho yo misma en la que aparecía con los ojos cerrados. Me costó no pocos esfuerzos lograr que la incluyeran en el anuario. Por suerte, la única influencia que tenía en el instituto era con la profesora encargada del anuario.

La foto tenía el mismo aspecto que yo, muerta.

La muerte me interesaba en la misma medida en que a Ellie le interesaba el sexo. Supongo que cuanto menos nos hablaban los adultos sobre ciertos temas, más detalles deseábamos conocer sobre ellos.

En cualquier caso, yo sabía que algún día esa foto se correspondería con la realidad, porque todo el mundo muere.

————————

Mi madre me regaló mi primera cámara cuando cumplí cuatro años. No me dejaban utilizarla, pero era mía… para el futuro, lo cual, bien pensado, es una idea chocante cuando tu madre no llega viva a tu quinto cumpleaños. Qué le vamos a hacer. Era una Leica M5 muy sencilla con un estuche de cuero. No era una cámara digital. Darla O'Brien creía en la película. Creía en la emulsión y en el haluro de plata. Creía en un invento denominado sistema de zonas que había sido desarrollado por dos fotógrafos llamados Ansel Adams y Fred Archer hacia 1940.

El sistema de zonas dividía los tonos en una fotografía en blanco y negro en once zonas entre el negro máximo y el blanco máximo.

La dificultad consistía en obtener una imagen que representara las once zonas. El blanco máximo era diez. El negro máximo era cero. El blanco máximo era una imagen sobreexpuesta. El negro máximo era nada.

Mi código para la muerte era el *negro máximo*. Al murciélago petrificado lo llamé en secreto «Negro Máximo», porque me fastidiaba decir que algo era lo que no era. El murciélago no estaba petrificado. Sus células no podían ser sustituidas por minerales. Estaba muerto y punto. Zona cero. Negro máximo.

Mi gran pesar era no haber retratado al murciélago antes de que nos lo bebiéramos. Habría obtenido una imagen genial, con numerosas zonas representadas, sólidas, esculpidas en la emulsión. Me habría representado a mí. Glory O'Brien, ligera como una pluma. Glory O'Brien, metida en un tarro. Glory O'Brien, fingiendo ante todo el mundo que parecía viva cuando en realidad me estaba desintegrando. Glory O'Brien, con las alas plegadas, no volando.

Yo había tomado una foto del tarro, de la mesa de pícnic, de Ellie contemplando los ojos momificados del murciélago, pero ninguna del propio murciélago. Puede que eso significara algo. O puede que no. Elige tú.

Quizá yo evitaba la muerte al mismo tiempo que estaba obsesionada con ella.

Los humanos somos muy raros. Somos contradicciones andantes. Somos la zona diez y la zona cero al mismo tiempo. No estamos seguros de nada.

Al menos, yo no lo estaba. Pero eso era un secreto.

Me fascinaba el reto del sistema de zonas, pero nunca lo había intentado. Tenía prohibido entrar en el cuarto oscuro de Darla. Era un lugar sagrado que emanaba un olor acre, situado en el sótano, donde vivían sus secretos. Y cuanto más afloraban los míos, más deseaba penetrar en ese cuarto oscuro y comparar nuestras notas.

¿Experimentaba también mi madre ataques de pánico que hacían que se sintiera mareada? ¿Era eso un signo?

¿Y mi empeño en no tener amigos?

¿Y lo de no querer confiar en nadie, en general? ¿Era eso normal?

¿Y lo de sentirme perdida en el mundo? ¿Perdida en mi propio futuro?

¿Y mi curiosidad sobre el suicidio de mi madre? ¿Por qué lo había hecho? ¿Había sellado la puerta de la cocina con toallas mojadas para ahorrarme el trauma?

¿Había conseguido ahorrarme el trauma? ¿Sentía yo que me había *ahorrado* el trauma?

Tetas

En última instancia, fue Negro Máximo quien hizo que me sintiera más cerca de Dios.

Hasta entonces, nadie había logrado convencerme de que Dios existía realmente. Ni el sacerdote que había oficiado el servicio en el entierro de mi madre cuando yo tenía cuatro años, ni mi tía Amy, que había tratado de educarme en la fe católica cuando murió Darla.

Porque ningún dios haría que mi madre metiera la cabeza dentro del horno.

No estando yo en la casa.

No el día de la letra «N».

Ningún dios permitiría que mi padre sufriera tanto que acabara pareciéndose a un globo de aire caliente peludo. Ningún dios lo obligaría a montar en uno de esos carritos eléctricos Jazzy que hay en los supermercados, como hacen las personas ancianas cuando les duelen las rodillas al caminar.

Mi padre tenía sólo cuarenta y tres años.

————

Yo tenía diecisiete cuando me bebí el murciélago con Ellie. Diecisiete es la edad media de los jóvenes en Estados Unidos cuando tienen su primera experiencia sexual. No sé cuál es la edad media de ingerir un murciélago.

El estadounidense medio tiene su primer hijo aproximadamente a los veinticinco años, que es cuando mi padre y Darla me tuvieron a mí. Pero ahí termina la similitud entre el estadounidense medio y Darla y mi padre.

Darla era una fotógrafa casi famosa. Mi padre, antes de su presente encarnación como el hombre que se pasea en un carrito eléctrico Jazzy por el pasillo de los congelados, era pintor. Construyeron esta casa con el dinero que Darla heredó de su madre cuando ésta murió de un cáncer no causado por un horno microondas en 1990. Darla heredó ochocientos sesenta mil dólares, que era mucho dinero. Su hermana, Amy, heredó la misma cantidad y se la fundió en cosas frívolas. Una cama solar. Viajes a México. Cirugía para ponerse tetas más grandes. Zapatos. Un montón de zapatos.

Como hermanas, eran tan opuestas como Elena de Troya y Clitemnestra. Por desgracia, la inmortal en este caso estaba demasiado distraída con las rebajas en Macy's para iniciar la guerra de Troya o botar un millar de barcos.

Cuando murió Darla, mi tía Amy trató durante años de convencerme de que recibiera la primera comunión ataviada con un bonito vestido blanco. Trató de instruirme sobre la confesión y el pecado y la Virgen María, pero lo único que yo veía cuando me hablaba de la religión católica eran sus extrañas y redondas tetas de silicona, que no dejaban de agitarse.

Siempre lucía tops muy escotados.

Incluso cuando se vestía para vender a Dios a niñas que habían perdido a su madre.

———————

Amy había dejado de venir a nuestra casa. Yo no esperaba que me felicitara por mi graduación con una tarjeta o un regalo, aunque seguía enviándome tarjetas por mi cumpleaños, por lo general con motivos femeninos de lo más cursi, que me provocaban ganas de vomitar. Amy siempre tendía a exagerar porque yo le había dicho que era una feminista cuando tenía doce años, y ella había acusado a mi padre de haberme lavado el cerebro y haberme convertido en un chicazo.

Lo cual era mentira. Yo no era un chicazo. Seguía siendo yo misma. Sólo quería que mi tía Amy percibiera el mismo sueldo que un hombre si alguna vez movía su perezoso culo y se buscaba un trabajo.

¿Por qué confundía todo el mundo esa palabra?

Mi padre no me había lavado el cerebro; simplemente, yo era *consciente* de la situación. Y por lo que había visto en mi instituto, yo formaba parte de la minoría.

Ellie me dijo una vez que los años del feminismo habían concluido.

—¿Qué diablos significa eso? —pregunté yo.

—Significa que es un tema muy de la década de los setenta o algo por el estilo. Del siglo veinte.

Yo la miré de arriba abajo.

—¿Y las comunas *hippies* son del siglo veintiuno? ¿En serio?

—Ya sabes a qué me refiero —contestó ella—. Se ha terminado. Ya hemos conseguido lo que queríamos. No tenemos que seguir luchando.

Recuerdo exactamente lo que le repliqué ese día cuando Ellie dijo eso.

—La escolarización en casa te está convirtiendo en una estúpida.

Pero no era culpa de la escolarización en casa.

Ellie había dicho lo que la mayoría de la gente piensa realmente.

Plástico vacío

Yo no había sido siempre la fotógrafa del anuario del instituto. A mediados del último curso, me pidieron que lo fuera. La señora Ingraham, la asesora del anuario, dijo que creía que yo tendría un buen ojo para la fotografía. No dijo por qué lo creía. No dijo que era posible que yo hubiera heredado mi ojo fotográfico de Darla, cuyos ojos ya no veían.

—John Risla ha sido expulsado —dijo la señora Ingraham.

—Eso me han dicho. —John Risla era un plagiario en serie. Todos sabíamos que acabaría siendo expulsado.

—¿Te gustaría ser la fotógrafa de nuestro anuario durante el resto del año?

—Sí —respondí—. Pero no quiero formar parte del club.

—Pero… yo… —balbució la señora Ingraham.

—Sólo quiero tomar fotografías —dije—. Nada más. No quiero tener nada que ver con el club.

—De acuerdo —respondió ella—. Magnífico.

Mi padre me proporcionó la cámara, una digital. Para sentirme más cómoda utilizando una cámara digital, traté de tomar todas las fotografías del anuario aplicando el sistema de zonas.

Era totalmente posible. El hecho de que el sistema de zonas lo inventaran dos tipos que solían preparar su propia emulsión y la pintaban sobre unas placas de vidrio de 50 × 60 centímetros en la década de los cuarenta, no significa que alguien que utilice cualquier tipo de cámara no pudiera usarlo.

La clave era la exposición.

Aunque todos los jóvenes de mi edad utilizaban sus cámaras digitales en modo automático, yo decidí emplear el viejo fotómetro manual que utilizaba Darla.

Un fotómetro puede indicarte en qué zona está todo lo que contiene una escena. Los puntos brillantes —la espuma de una cascada, unos reflejos, un oso polar— eran los números superiores. Las sombras —unos agujeros, unas aguas oscuras y plácidas, unas anguilas debajo de la superficie— eran los números inferiores. Tenías que dejar que la luz entrara en la cámara de forma adecuada. Tenías que medir la luz: buscar los puntos oscuros y claros en tu sujeto. Tenías que ahorquillar: cambiar manualmente la velocidad de obturación o abertura del diafragma para ajustar la cantidad de luz que recibe la película, o en mi caso, para el anuario, el microchip. Tenías que evitar la sobreexposición de los puntos más claros y conferir a las sombras el máximo detalle buscando las áreas más oscuras del negro máximo y fotografiándolas tres zonas más claras.

Al fotografiar las áreas más oscuras tres zonas más claras, convertías una zona negra muerta, una zona de negro máximo cero, en una zona tres.

Creo que, en la vida, la mayoría de nosotros hacíamos esto continuamente.

Decías que la mujer que había metido la cabeza en el horno se sentía esencialmente «desdichada». Decías que se sentía «frustrada». Y decías que su familia «lloraba su muerte». Decías que «hacían de tripas corazón». Decías que «habían encajado el golpe con admirable entereza».

En el sistema de zonas todo se basa en el detalle, de modo que si quieres fotografiar una zona cero como una zona cero, no puedes hacer nada con tu exposición para que aporte detalle a esa zona. Es un negro máximo. No queda emulsión en el negativo. Lo único que tienes es plástico vacío.

Así es como yo me sentía con respecto a Darla. Como plástico vacío.

Mi padre decía: «Vamos, Bizcochito, la cosa no es tan grave».

Yo me preguntaba si fue eso lo que le dijo a mi madre el día de la letra «N». Me preguntaba si el fotómetro de mi padre no funcionaba. Si había estado leyendo por error treses en lugar de ceros. O si lo había hecho adrede. Elige tú.

Aparte de sus visitas al supermercado, que se producían entre las dos y las cuatro de la madrugada de un día cualquiera entre semana, mi padre era un recluso. Al parecer, había dejado de pensar en la pintura.

Ahora se limitaba a hacer llamadas telefónicas desde el sofá y a trabajar con su ordenador portátil. Le pagaban por ayudar a la gente a resolver sus problemas informáticos. Yo confiaba en que en algún resquicio de su mente estuviera componiendo una serie de cuadros expresionistas alemanes sobre hornos de gas domésticos y que algún día los pintaría.

———

El miércoles, a la salida del instituto —el último día antes de la graduación—, fui a ver a Ellie con mi cámara para mostrarle las fotografías que había tomado de mis compañeros y compañeras posando todo el día para mí, todos como si fueran estrellas de cine.

Cuando atravesé la calle, observé que no había nadie en la comuna, lo cual era extraño porque allí vivía mucha gente. Tres familias en el granero, dos en la vieja cabaña de caza en la parte posterior, dos en la horrorosa casa prefabricada con los laterales de color azul, además de tres o cuatro autocaravanas, en cada una de las cuales vivía una familia.

Por supuesto, Jasmine vivía en la mejor vivienda —la vieja granja— con Ellie y Ed Heffner, el padre de Ellie, al que yo apenas veía porque era un ermitaño.

Ellie decía que era muy tímido. Las pocas veces que me lo había encontrado me había dado la impresión de que estaba enojado. Aunque no sé qué motivos tenía para estarlo. Mi padre decía que ninguna de esas personas trabajaba. Vivían de los productos de la tierra y se las ingeniaban para no trabajar, lo cual me sonaba a música celestial. Mi padre decía que eran «no consumidores», y cuando le pregunté qué era eso, me dijo que no querían comprar nada.

Cuando vi a Ellie me di cuenta de que algo iba mal, pero cuando se lo pregunté, respondió: «Estoy bien».

Yo no insistí porque en realidad no me importaba. Ellie llevaba una camisa *hippy* con los botones desabrochados, mostrando el borde de la zona de peligro. Al igual que Jasmine. Quizá la camisa fuera de Jasmine. Quizá fue ella quien le sugirió que se desabrochara los botones hasta allí, advirtiéndole al mismo tiempo: «Si lo haces demasiado pronto, te arrepentirás».

Ellie no iba a graduarse conmigo, de modo que yo no podía celebrar oficialmente mi último día de instituto con ella, pero le enseñé las fotos que tenía en mi cámara.

—¿Quién es ése? —preguntó Ellie, señalando a un tipo alto que era miembro de la banda de jazz.

—Travis no sé qué. Johnson. Travis Johnson —respondí.

—Mierda. Ha crecido.

—Y ésa es Morgan —dije, señalando a una vieja amiga nuestra del autobús.

—¡Maldita sea! Está hecha una *punk rocker.* ¿Quién iba a adivinarlo?

—Ya. —Morgan era una obsesa de la informática. Hasta que conoció a Joey Ramone.

—¿Ése es Danny? —preguntó Ellie. Danny era el chico del que había estado enamorada en secreto en segundo de secundaria. En la foto, su novia lo abrazaba y besaba en la mejilla.

—Sí.

—Vaya, no está tan guapo como antes.

—Ya. Ha cambiado mucho desde segundo de secundaria —apunté.

—¿Así que hoy ha sido tu último día? —preguntó Ellie.

—Sí.

—¿Cómo es que no has ido a comer al McDonald's o a un restaurante o a algún sitio para celebrarlo? Como suelen hacer los alumnos de último curso.

Los del club del anuario me habían invitado a un restaurante. Pero yo quería regresar a casa en el autobús por última vez. (Tomé una foto del interior del autobús después de que todos se hubieran bajado de él, excepto un chico llamado Jeff y yo. La titulé: *Autobús vacío.*)

—No me apetecía. Me alegro de que haya terminado —contesté.

—¿Por qué? No has hecho caso de todas esas cartas de las universidades. ¿Por qué te alegras de que algo haya terminado cuando no tienes ninguna otra cosa en perspectiva?

La miré arrugando el ceño.

—No lo sé.

—Ah.

—Ya pensaré en ello.

—Seguro.

Pulsé el botón de avance de mi cámara y le mostré *Autobús vacío*.

—¿Qué es eso? —preguntó Ellie.

—Es el autobús vacío. La última cosa vacía relacionada con el instituto. O una especie de confirmación de que no tengo que seguir haciendo eso. No lo sé. Pero hoy era el último día que tenía para tomarla.

—Mi madre dice que es posible que me gradúe en verano —comentó Ellie—. Me enviarán un verdadero diploma y todo.

—Qué bien —dije. Pero estaba segura de que mentía.

Los parásitos obligados no pueden vivir sin un huésped

A la mañana siguiente, mi primer día de no tener que ir nunca más al instituto, fui a casa de Ellie. Cuando atravesé la calle me pregunté: «¿Por qué voy siempre a casa de Ellie?» La respuesta fue encogerme de hombros. «No sé por qué vas a casa de Ellie. Siempre vas a casa de Ellie. No tienes otro sitio adonde ir.»

La encontré sentada en el porche trasero, enfurruñada.

—Anoche mi madre me dijo que quizá no me gradúe hasta diciembre —me contó—. Dice que no debo precipitarme en el acontecimiento más importante de mi vida.

—¿Por eso estás tan cabreada? —pregunté.

—Sí —contestó ella—. Y por otras cosas.

—¿Cosas de novios?

—Quizás.

El novio de Ellie se llamaba Rick. Tenía diecinueve años y había vivido en la comuna desde los siete. Nosotras le llamábamos Ricky.

Él alardeaba de haber practicado sexo muchas veces, pero Ellie y yo no nos los creíamos porque la comuna era pequeña y no había muchas chicas con las que pudiera tener sexo.

—Está muy raro —dijo Ellie—. Es como si yo ya no le gustara. —Esperó un segundo para ver si yo hacía algún comentario, y como no hice ninguno, añadió—: Y algunos de los niños tienen piojos, y no soporto los piojos.

—Qué asco —dije, porque los piojos en la comuna eran más habituales que las matas de espliego, hacer punto o el arroz basmati. Retrocedí un paso. Creo que es una reacción normal.

Ellie me miró disgustada.

—¡Yo no tengo! ¡Por favor!

—Son piojos. Saltan. Me lo enseñaron en educación sanitaria.

—Los piojos no saltan.

—Vaya que no —dije, manteniendo mi cabeza a un metro de la suya.

—Las que saltan son las pulgas. Los piojos reptan.

Lo dijo como si fuera lo más normal hablar de estas cosas. «Las pulgas saltan. Los piojos reptan.»

—No puedes reprocharme que no quiera tener piojos. ¿Quién quiere tener piojos?

—¡Yo no tengo piojos! Sólo sé que debemos tener cuidado porque algunos niños los tienen. —Ellie empezó a lloriquear—. Estoy hasta las narices de estas mierdas, ¿comprendes?

Creí que se refería a mí, de modo que no dije nada. Desde que Rick había aparecido en su vida, yo confiaba en que Ellie se hartara de mí. Incluso había soñado con comenzar una nueva vida en otro lugar, en cualquier sitio que no fuera éste. Un lugar donde nadie supiera lo de Darla y la gente no me pareciera insensible por no hablar conmigo del tema.

—Cuando cumpla dieciocho años, me largo de aquí. Quizá con Rick. Él también quiere marcharse. Obtendremos nuestros diplomas de educación general y no tendremos que seguir estudiando en casa.

Yo asentí pero no hice ademán de abrazarla. Los piojos son contagiosos. Es un hecho indiscutible.

—¿Te pica? —pregunté, señalando mi cabeza.

—Me he echado tanto aceite del árbol de té en el pelo desde que mi madre me lo dijo, que espero que me dejen tranquila.

Ellie me había contagiado piojos en dos ocasiones cuando éramos pequeñas, la última cuando teníamos once años. Mi padre y yo lavamos y secamos todas las sábanas y toallas de la casa con calor intenso y luego las metimos cinco minutos en el microondas para asegurarnos.

Los hornos microondas son como bombas atómicas para los piojos.

—¿Vendrás a mi graduación el lunes? —pregunté a Ellie.

Se lo había preguntado una docena de veces. Le había dado la invitación el mismo día en que las había recibido. Me habían entregado cuatro. Me quedaban dos, y había pensado enviar una por correo sin remite. *Darla O'Brien, Cielo o Infierno, Elige Tú, El Universo, 00000.*

—Mi madre aún no lo tiene claro. Dice que puedo ir, pero no sabe cómo. No dispondremos de la furgoneta, porque se van todo el día de excursión.

—Puedo llevarte en coche si no te importa esperar un rato —propuse.

—Creo que mi madre planea organizar una fiesta de las estrellas esa noche, así que no sé si podré escaparme —respondió Ellie. Trató de asumir una expresión apenada, pero una de las cosas que le gustaban más en la comuna eran las fiestas de las estrellas. Las organizaban cada dos semanas en verano, o cada vez que los planetas hacían algo interesante. Ellie podía nombrarte cada constelación que había en el cielo. Era irritante.

—¿Qué vas a hacer si te los contagian? —pregunté, señalando su cabeza.

Ellie se la rascó.

—Seguramente te pediré que me compres algún remedio. ¿Te importa?

—Claro que no —respondí—. Esos jodidos bichos nos están utilizando, ¿sabes?

—Ya.

—Los parásitos obligados no pueden vivir sin un huésped.

—Vale, profesora.

—¿Sabes que proceden de los gorilas, desde hace dos millones de años?

—¿En serio?

—En realidad, creo que eran ladillas.

—Qué asco —dijo Ellie.

—Sí.

—¿Significa que un ser humano tuvo sexo con un gorila?

—Creo que los que tenían piojos eran los gorilas. Cuando pasaron al ser humano se convirtieron en ladillas o piojos púbicos porque perdimos el pelo de nuestro cuerpo. Bueno, la mayor parte.

Nos sentamos en la hierba y luego nos tumbamos para contemplar el cielo. Estaba despejado, con unas pocas nubes altas. Desde que tengo uso de razón, Ellie y yo jugábamos al juego de las nubes; decíamos que parecían animales u otras formas y observábamos cómo se transformaban en otros animales o cosas hasta que desaparecían de la vista y eran sustituidas por otras.

—¿Vas a afeitártelo? —preguntó Ellie.

—¿El qué?

—Ya sabes… el vello —contestó—. Abajo.

—No.

Ellie suspiró.

—¿Por qué? —pregunté.

—Mucha gente lo hace, creo.

—¿Rick quiere que te lo afeites? —pregunté.

Ella no respondió.

—No sé —añadí—. Me parece antinatural.

Ellie no dijo nada y seguimos contemplando las nubes en silencio.

—¿Has visto Júpiter esta semana? —preguntó Ellie. Cuando negué con la cabeza, dijo—: Deberías verlo. Si sales sobre las diez y miras hacia el sureste lo verás. Es azul y muy brillante.

—De acuerdo —respondí. Pero Júpiter me importaba un comino.

—Markus regresa hoy a casa de la universidad —dijo Ellie.

Markus Glenn, el pervertido aficionado al porno, vivía cerca de nosotras. Solía tomar el autobús amarillo del colegio hasta que sus padres lo enviaron a una escuela privada cuando terminó la primaria.

—¿Sigues enamorada de él?

—No desde primero de secundaria —respondí—. ¿No te acuerdas? Ellie asintió con la cabeza.

—¿Sabías que casi todos los asesinos en serie en la historia eran adictos a la pornografía? Les ayudaba a deshumanizar a las personas para poder matarlas —explicó.

—No creo que esto lo aprendieras en la escuela en tu casa.

—Me lo dijo Rick. Tiene un montón de libros sobre asesinos en serie.

—¡Uf! ¿No te da yuyu?

—Basta.

—De acuerdo —dije, pero a mí me parecía espeluznante.

Di eso con voz de borrego

La fiesta de las estrellas era un acontecimiento muy importante en la comuna. Sacaban sus tambores y bongos y tocaban para las estrellas. Comían productos orgánicos y bebían licor de saúco. Se ponían sus mejores galas.

Todo era muy especial.

Hacía varios meses que Júpiter era visible todas las noches. Pero sucedían cosas muy interesantes con la Luna y Plutón, de modo que Jasmine había propuesto organizar la fiesta y los miembros de la comuna habían balado «¡Sí, por favor!»

Di eso con voz de borrego.

Mi padre lo hacía.

No es que sintiera inquina por los habitantes de la comuna. Decía que eran excéntricos y le fastidiaba que se pasaran la noche tocando los tambores y bongos durante el solsticio o el equinoccio o las fiestas de las estrellas.

Yo intuía que había algo más profundo, pero no había logrado descifrarlo. Tenía la impresión de que Jasmine Blue no se había mostrado muy comprensiva con nosotros después del día de la letra «N».

No había mencionado a Darla una sola vez, ni tampoco a mi padre, lo cual era un tanto raro puesto que aún vivía. En mis diecisiete años de vida, trece sin mi madre, mi padre y Jasmine Blue no habían hablado nunca por teléfono ni se habían visto, aunque vivían a escasos metros de distancia.

Mi padre fingía que no sabía a quién me refería a menos que dijera «la madre de Ellie».

Él también utilizaba ese término.

«¿La madre de Ellie está conforme con que ella y tú vayáis andando por la carretera a casa de Markus a vuestra edad?» (Teníamos doce años.)

«¿La madre de Ellie tiene un teléfono fijo por si necesito ponerme en contacto contigo?»

Jasmine me obligaba a dejar mi teléfono móvil en casa. Los teléfonos móviles provocaban cáncer. Todos hablábamos a través de bombas atómicas.

Todos teníamos nuestra cabeza colectiva dentro del horno.

Mientras Ellie y yo jugábamos a las nubes durante una hora, observé cómo se deslizaba una nube tras otra por el cielo y todas me parecían un horno. A veces la puerta estaba abierta. A veces estaba cerrada. A veces había un pastel cocinándose dentro del horno. El pastel era como mi futuro. Consideraba el pastel un objetivo imposible de alcanzar. Sabía por experiencia que los pasteles hechos en un microondas saben a mierda.

Cuando Ellie me preguntó por segunda vez sobre la universidad, le dije que necesitaba un poco de espacio. Era mentira. La verdadera razón estaba oculta en lo más recóndito de mi mente y Ellie no la averiguaría nunca. Especialmente teniendo en cuenta que a veces era difícil saber dónde terminaba Ellie y dónde empezaba Jasmine.

Regresé a casa y cené. Pollo al estilo Alfredo y pan de ajo rancio. Mi padre dijo que tenía trabajo, de modo que cené sola en la cocina. El último día de instituto. No volvería jamás allí.

El hecho de estar sentada sola a la mesa de la cocina me produjo la sensación de que me hallaba en una zona indefinida. No tenía idea de quién era o qué pensar. Tomé una fotografía de la silla en la que solía sentarse mi padre. La tapicería se caía a pedazos y le había pedido diez veces que la sustituyera por otra, pero él se había negado. Titulé la foto *Silla horrorosa y vacía*.

Cuando terminé, fui de nuevo a casa de Ellie. Habían terminado de cenar y Jasmine me dijo que Ellie estaba en el gallinero, cumpliendo con sus quehaceres. Cuando me dirigía al gallinero, pasé frente al cobertizo donde estaba el murciélago. Me pregunté si ya se habría desintegrado en el pequeño tarro donde lo habíamos metido. Me pregunté si, suponiendo que fuera realmente Dios, ¿por qué le ignorábamos olímpicamente? Decidí preguntárselo a Ellie cuando la viera.

Pero cuando me acerqué al gallinero, oí voces. Eran Rick y Ellie.

Cuando me aproximé más los oí discutir a voz en cuello.

—¡Pero es una faena! ¡No lo entiendes!

—No quiero quedarme embarazada, Rick.

—Otras chicas me dejan hacerlo.

—¿Otras chicas?

—Me refería a *antes* que tú.

—Razón de más para que te pongas uno —dijo Ellie.

—No lo entiendes.

—Puede que no. Pero no estoy dispuesta a quedarme embarazada a los diecisiete años. Eso lo tengo muy claro. —Al decir «eso», su voz tembló un poco. Como si fuera a romper a llorar.

—La sacaré antes.

En ese momento decidí entrar.

Ellie estaba de pie, apoyada contra una horca. Rick tenía una bala de paja a sus pies.

—Hola —saludé.

Rick parecía furioso.

Ellie parecía no saber qué cara debía poner una mujer en esas circunstancias.

En vista de que ninguno me respondió, decidí que no quería estar presente durante ese altercado. Ellie me hablaría del tema durante horas cuando estuviéramos solas, de modo que di media vuelta y me fui a casa.

Supuse que tenía algo mejor que hacer que estar siempre en casa de Ellie como un mal hábito.

Mi padre seguía sentado en el sofá, trabajando con su ordenador.

Miré el cuadro sobre su cabeza —un gigantesco cuadro pintado por él— de un desnudo muy púdico.

Mujer. Era el título que le había puesto al cuadro.

Durante toda mi vida, cada vez que aparecía en la televisión un anuncio de una chica con poca ropa, mi padre señalaba el cuadro y decía: «No creas lo que ves, Glory. Ése es el aspecto que tiene una mujer auténtica». O algo por el estilo.

Yo no recordaba cuánto tiempo llevaba mi padre diciéndome eso, pero no recordaba ninguna época en que no me lo dijera, por lo que deduzco que me lo había dicho desde siempre. Era el único comentario que hacía cuando yo ponía la televisión. Crema antiarrugas. Maquillaje. Ropa. Laca de uñas. Costosas chocolatinas. Coches. Cerveza. Sofás. Champú. Pasta dentífrica. Casinos. Apuntarse a un gimnasio. Zapatos. Pastillas. Dietas. Comida para gatos. Cada vez que aparecía un anuncio que trataba de venderme el mundo real que no era real, mi padre señalaba la pantalla y lo decía.

La mujer del cuadro estaba entrada en carnes y tenía caderas. Tenía las piernas gruesas. Sus pechos tenían una forma natural, no como con las pelotas blandas de la tía Amy. No tenía unas pestañas ridículamente largas ni rayas donde acababa el bronceado. Era una mujer sin trampa ni cartón.

—¿Me necesitas? —preguntó mi padre.

—Estaba mirando la mujer —respondí. Hacía años que me preguntaba si esa mujer era Darla, pero sabía que Darla no se parecía a ella en ningún aspecto. Darla era delgada y tenía el pelo largo y a veces se lo peinaba en unas trenzas.

—¿Te sientes bien? —inquirió mi padre.

—Nunca me he sentido mejor.

—¿Vas a hacer algo divertido mañana? —se interesó mi padre.

—Seguro. Será divertido —respondí. Subí la escalera e hice un pacto conmigo misma de no ir a casa de Ellie al día siguiente. Recordé el dicho sobre los hábitos. El primer paso para quitarse uno es reconocer que tienes un problema.

Yo tenía otras cosas que hacer. La semana anterior había tomado muchas fotografías y quería pegarlas en mi cuaderno de dibujo.

Tenía tres cuadernos de dibujo llenos de fotografías digitales generadas por ordenador. Me habría gustado imprimir unas fotos como es debido, pero mi padre no me dejaba entrar en el cuarto oscuro de Darla, y la última vez que se lo pedí me miró con una expresión tan acongojada que no quise insistir.

Yo había titulado ese cuaderno de dibujo *El origen de todo*. Mi padre me había regalado un cuaderno de dibujo cada año por Navidad y mi cumpleaños desde que yo había empezado a tomar fotografías. Me había enseñado uno que había confeccionado él cuando aún le interesaba la pintura. Era una mezcla de todo lo creativo: fotografías, dibujos, ideas, notas. Decía que eso me ayudaría a poner en orden mis sentimientos. No le pregunté por qué no había seguido coleccionando cuadernos de dibujo. Estaba claro que él no necesitaba poner en orden ni sus sentimientos ni nada.

Yo casi había completado *El origen de todo*. Sólo quedaban unas pocas páginas que llenar.

Imprimí y pegué *Tarro vacío*. Debajo escribí TARRO VACÍO.

Imprimí y pequé *Autobús vacío*. Debajo escribí NO LLEVA CINTURONES DE SEGURIDAD.

Imprimí y pegué *Silla horrorosa y vacía*. Debajo escribí HAY QUE VOLVER A TAPIZARLA.

Imprimí y pegué una fotografía elegida al azar de un grupo de alumnos de último curso que el día antes me habían pedido que les sacara una foto. Escribí ÉSTE ES EL ASPECTO QUE TIENEN LAS PERSONAS NORMALES.

Cuando me metí en la cama, pensé que aunque *Mujer* no era Darla, de alguna forma me enseñaba muchas cosas. Pensé en la pelea que había presenciado entre Ellie y Rick. No pensé en la universidad ni en buscar un trabajo. No pensé en nada más allá del día siguiente porque cualquier cosa más allá de ese día era como jugar a las nubes: dependía únicamente de la persona que las contemplaba, y podía ponerse a llover en cualquier momento.

Sábado. Es complicado

Me había levantado al amanecer y me había puesto a fotografiar cosas diminutas con mi macroobjetivo. Capté gotas de rocío. Capté polen. Insectos. Musgo. Tomé una fotografía de un escarabajo muerto. La titulé *Escarabajo muerto*. Tomé una fotografía del dedo meñique de mi pie. La titulé *Mi padre dice que tengo los pies de mi madre*.

Cuando observaba cosas pequeñas —macrocosas—, la visión de conjunto se disipaba.

Me senté en la hamaca y me columpié y luego me recosté en ella. Al hacerlo, me percaté de que cuando contemplas el cielo a través de los árboles, no puedes captar nada con un macroobjetivo. Nada pequeño. Tomé una fotografía de la vista con mi objetivo estándar. La titulé *Nada pequeño*.

Faltaban dos días para mi graduación del instituto y estaba más preocupada por Ellie que en comprarme un vestido. Quería hablar con ella sobre la discusión que había presenciado en el gallinero hacía un par de noches. Me preocupaba la facilidad con que las chicas se vienen abajo.

Jasmine Blue no permitía que entrara un televisor en su casa, por lo que Ellie no estaba inmunizada contra los anuncios y los estereotipos. Jasmine Blue no permitía que entraran revistas en su casa, pero Ellie sabía lo que todas las chicas sabemos: que estábamos aquí para ser lo que los hombres quisieran que fuéramos.

Estábamos aquí para tocarles el pito.

Traté de pensar en un solo mensaje que dijera lo contrario, pero no se me ocurrió ninguno. En mis diecisiete años de vida, mirara por donde mirara, siempre había visto decir, envuelto en vistosas imágenes: «Estás aquí para ofrecer un aspecto atractivo, estar calladita y tocar pitos».

Yo no quería que Ellie se quedara embarazada. Quería que estuviera debidamente informada sobre el sexo y supiera que lo de «bajarse en marcha» era una tontería. No quería que pillara una enfermedad de transmisión sexual de un tipo que coleccionaba libros sobre asesinos en serie.

Esperé tumbada en la hamaca a que fueran las ocho y media para ir en busca de Ellie. La encontré limpiando el corral de los patos situado junto al pequeño estanque. Parecía estar aún furiosa, de modo que era el momento ideal para preguntarle si estaba bien.

—Perfectamente. ¿Por qué?

—Pareces cabreada.

—Y lo estoy. Pero estoy bien —respondió—. Las tonterías de siempre.

—¿Qué tonterías de siempre?

Ellie apoyó el mentón en el mango de la pala y suspiró. Los patos correteaban por el exterior. Los patos corredores caminan muy tiesos. Ellie tenía patos corredores de dos colores distintos. Los de color chocolate eran mis preferidos.

—Ya sabes… Rick. Es complicado,

Yo asentí.

—Oí una parte de la pelea que tuvisteis el jueves —informé—. No me gustó lo que te dijo.

Ellie suspiró de nuevo.

—Sabes todo lo referente al sexo seguro, ¿no? ¿Y las enfermedades? ¿Y todo eso?

—Sé lo suficiente —contestó.

—Bueno… ten cuidado. —Me habría gustado llevarla a la biblioteca y dejarla en manos de las bibliotecarias. «Por favor, informadla de todo», les habría dicho.

Al cabo de un minuto tomé la escoba y barrí las virutas que se habían acumulado en un rincón.

—Creo que mi madre tenía razón —dijo Ellie—. Lo he hecho demasiado pronto y ahora me arrepiento.

Durante un segundo sentí como si el corazón me dejara de latir.

—¿Lo has hecho?

Habíamos prometido, el día que vimos una fotografía del pene, que cuando lo hiciéramos nos lo contaríamos una a la otra. Me sentí traicionada, como siempre que Ellie cambiaba las reglas.

Ella asintió.

—Hace dos semanas. Es decir, por primera vez. Desde entonces lo hemos hecho varias veces. Siento no habértelo dicho.

—Pensé que no ibas a hacerlo.

—No es para tanto —respondió Ellie.

—¿Por eso estás furiosa? —Dejé que mi pregunta reverberara alrededor del corral de los patos unos segundos. Luego añadí—: Puedes dejar de hacerlo cuando quieras.

—Él vive aquí.

—¿Y qué?

—Es complicado.

—Ya lo veo. De todos modos…

Ellie se echó a llorar.

—No sé qué hacer.

Yo no sabía qué decirle.

La abracé a pesar de que los piojos son contagiosos.

No me importaba. Ellie necesitaba que la abrazara, de modo que la abracé.

—Tengo malas noticias —dijo.

—¿A qué te refieres? —pregunté.

—Mi madre encontró al murciélago petrificado.

—¿Lo arrojó a la basura?

—No. Aún lo conservo. Pero… no está como lo recordamos.

La balada de Negro Máximo
(alias Dios)

Era polvo. Por más detenidamente que lo observáramos, no podíamos distinguir lo que había sido un globo ocular o un ala o el hocico o una pata. Era un montón de polvo granulado.

Ellie escenificó lo que había hecho Jasmine.

—*¿Qué diablos es esto?* —preguntó con el irritante tono que solía emplear Jasmine al tiempo que agitaba el tarro, haciendo que Negro Máximo se desintegrara—. No dejaba de agitar el tarro y de gritar —dijo Ellie—. Es una friqui. Era sólo un murciélago. No es para tanto.

—No era sólo un murciélago —repliqué.

—Lo sé —dijo Ellie—. Era Dios.

—Tu madre ha matado a Dios, colega —comenté. Quería hacer reír a Ellie, pero no lo conseguí.

Ellie destapó el tarro y observó el polvo.

Creo que fue entonces cuando se le ocurrió la idea, pero no dijo nada hasta que nos encontramos más tarde —al anochecer— para ofrecer a nuestro Dios, Negro Máximo, un viaje como es debido al mundo de los murciélagos esparciendo sus cenizas.

Cuando nos encontramos, a la luz de una delgada luna creciente que brillaba en el cielo, no fue eso lo que hicimos.

—Necesito que me compres algo contra los piojos —me pidió Ellie.

—De acuerdo. —En cuanto lo dijo sentí picores en el cuero cabelludo—. Qué fastidio. Sé que odias esos peines. —La última vez que Ellie había tenido piojos, había tenido que cortarse el pelo cinco centímetros para poder pasar a través de él un peine especial contra los piojos.

—Se han propagado —informó.

—¿Quiénes?

—Los piojos.

—Pero los piojos de la cabeza sólo viven en la cabeza —dije.

—Pues éstos se han propagado…, ya sabes a qué me refiero —respondió Ellie, señalando la cremallera de sus vaqueros.

—Eso es otra cosa, El. No se han propagado. Son otro tipo de piojos.

—La semana pasada creías que los piojos saltaban. ¿Qué sabes tú sobre piojos?

—Lo sé.

—Ya.

—¿De modo que tienes la cabeza limpia?

—Sí —contestó Ellie—. A ver si lo entiendo. ¿De modo que ahora tengo otro tipo de bichos? —preguntó.

—Eso parece.

—¿De dónde coño han salido?

Yo callé.

—¿Rick?

—Supongo que así es como se contagian —contesté.

—¿Y él dónde los ha pillado?

Yo no dije nada.

—Llevamos saliendo tres meses.

Yo no dije nada.

—¿Ésta es la mierda que nos han contagiado los gorilas?

—Creo que hay muchas especies distintas. Pero sí. Seguramente —respondí—. ¿Quieres que compre dos botes del producto, uno para ti y otro para él?

—Ni hablar.

—¿Significa que has roto con Rick?

—Pues claro.

Eso iba a ser complicado.

Pero nos olvidamos de ello en cuanto entramos en el cobertizo y tomamos el tarro, el polvo del dios Negro Máximo, y un *pack* de seis cervezas.

El clan del murciélago petrificado

Ellie se pasó toda la noche en la zona uno. No hacía más que decir: «¿Qué carajo importa?»

—¿Adónde vamos? —pregunté.

—¿Qué carajo importa? —contestó Ellie.

Nos dirigimos hacia el estanque porque yo no quería beber cerveza en mi bosque. Cuando llegamos y desplegué la manta que había traído de casa, pregunté a Ellie:

—¿Quieres sentarte en la manta o en la hierba?

—¿Qué carajo importa? —respondió.

Extendí la manta en el suelo y me senté en ella. Saqué una bolsita de Doritos y le ofrecí uno, pero ella me miró furibunda.

—¿Qué pasa? —pregunté.

—Siempre estás tan organizada que da asco. —Se sentó en la manta y añadió—: Tú y tus bocaditos de color naranja fluorescente.

—Yo no tuve tiempo de decir nada antes de que a Ellie se le saltaran las lágrimas—. ¿Cómo diablos va a resolver un *pack* de seis botellines de cerveza mis problemas? —inquirió—. ¿Lo sabes? —añadió, señalando de nuevo la cremallera de sus vaqueros.

—No lo sé. ¿De dónde han salido?

—¿No te acuerdas? De Rick.

—Me refiero a las cervezas.

—Me las dio también Rick. Nos las íbamos a beber el lunes, durante la fiesta de las estrellas. Pero a estas alturas qué carajo importa.

—Mañana te compraré el remedio contra las ladillas, que desaparecerán y ya no tendrás que preocuparte por ellas. Ya no será tu problema.

—Siempre será mi problema —contestó Ellie—. Mi *problema* es que soy una idiota. Mi *problema* es que todos somos idiotas. Tú y yo y mi madre y todas las personas con las que vivo y todas las personas que conozco y todas las personas que viven en esta calle, en esta ciudad y en este estado y en este país y todos los habitantes del planeta. Éste es mi jodido problema.

—Mierda —dije.

—Sí. Mierda —repitió ella.

Ellie siguió de morros mientras nos bebíamos nuestras primeras cervezas. Yo guardé silencio y dejé que llevara la voz cantante. Siguió insistiendo en que el mundo estaba lleno de idiotas.

Cuando abrimos nuestras segundas cervezas, pregunté:

—¿Puedo decir algo?

—Sí.

—Creo que hay algo raro en mí.

—¿A qué te refieres? —Ellie lo preguntó de forma que dejó muy claro que en ese momento, aunque yo tuviera lepra o un cáncer, nada podía ser peor que su fallida relación sexual y sus ladillas en el vello púbico, de modo que opté por guardármelo para mí.

—Nada —contestó—. Manías mías.

Entre nosotras se impuso el silencio.

Bebimos más cerveza, aunque a ninguna de las dos nos gustaba demasiado. Yo dejé la mía sobre la manta porque no me apetecía beber más. Ellie no paraba de moverse, nerviosa, y de murmurar entre dientes. De pronto se giró hacia mí y dijo:

—Alguien tuvo que contagiárselas, ¿no?

—Supongo que sí.

—Soy una cretina.

—No lo eres.

Mientras permanecíamos tumbadas en la manta, contemplando las estrellas, la furia de Ellie por tener ladillas se fue intensificando. Creí que iba a levantarse y a dejarme allí plantada. Creí que iba a estallar. No era ella, no mostraba ninguna de las facetas de Ellie que yo conocía. No se comportaba como la tonta de Ellie o la sarcástica de Ellie o la Ellie semejante a Jasmine. Estaba cabreada a tope. Yo la había visto cabreada en varias ocasiones, por supuesto, pero no hasta ese extremo. Era algo más profundo.

—Creo que deberíamos bebernos esa jodida cosa —dijo.

Yo estaba distraída y no tenía ni idea de a qué se refería, de modo que pregunté:

—¿Qué?

—Al murciélago petrificado. A Dios. O como quieras llamar a esa mierda —dijo, señalando el tarro.

—Negro Máximo —anuncié.

—¿Negro Máximo?

—Es el nombre que le he puesto. Es un término fotográfico. No me hagas caso. Creo que estoy borracha.

Ellie sostuvo el tarro en alto.

—Yo beberé primero —dijo—. Nos crecerán alas. Será como bebernos a Dios. Joder. Quizá nos dé incluso un subidón. —Se inclinó y tomó el resto de mi cerveza, que técnicamente era mía, pero estaba caliente y no me apetecía bebérmela.

Luego destapó el tarro y olió su contenido.

—No es más que polvo. No sabrá a nada. —Acto seguido vertió la cerveza sobre el polvo y agitó el tarro para mezclarlo todo.

Bebió un sorbo, puso una cara como indicando que estaba muy rico y me pasó el tarro.

Tras vacilar unos instantes, bebí sin más preámbulos. ¿Qué tenía que perder? Iba a graduarme del instituto y no tenía adónde ir ni nada mejor que hacer. ¿Por qué no beber los restos de un murciélago? Me cayeron unas gotas por el cuello porque la boca del tarro era muy grande. Me lo bebí y apuré el resto de la cerveza caliente que quedaba en mi botellín.

Ellie extendió los brazos, con las palmas de las manos hacia arriba.

—Es como si ahora formáramos parte de Dios, ¿verdad, Glory?

Yo había hecho el comentario sobre Dios en plan de guasa, pero Ellie parecía *sentirlo*. Me sentía mareada. Supuse que estaba un poco bebida y que la excitación de beberme el murciélago había disparado la adrenalina en mi organismo. Pero, claro está, esa sensación podía deberse a que me había convertido en Dios. Glory O'Brien. Dios. Poseedora de una bomba atómica. Hija de la difunta Darla O'Brien, negro máximo.

Miré a Ellie. Ellie Heffner. Dios. No poseía una bomba atómica, a menos que tengamos en cuenta el tratamiento contra ladillas que yo iba a comprar para ella. Hija de Jasmine Blue Heffner, una friqui *hippy* rarita.

—Ahora formamos un clan. Es como si fuéramos hermanas de sangre, pero mejor. El clan del murciélago petrificado —anunció Ellie con voz pastosa.

A partir de entonces todo cambió, pero nosotras aún no lo sabíamos.

———————

Después de bebernos el mejunje, sentí ganas de vomitar durante media hora. Sólo había bebido una cerveza en una ocasión anterior, por lo que no sabía cómo te sientes cuando te emborrachas. En cualquier caso, nunca me había sentido así.

Ellie parecía convencida de que era Dios. De vez en cuando murmuraba para sí, como si mantuviera una conversación con alguien. Quizá con las ladillas. Quizá consigo misma. Quizás estaba simplemente borracha. De Dios.

—Libérate —dijo Ellie—. Ten el valor de hacerlo.

—¿Qué?

—Libérate. Ten el valor de hacerlo —repitió—. No sé. Se me acaba de ocurrir.

—Ya —respondí. No sabía si me lo decía a mí o a ella misma.

Pensé en ello. *Libérate. Ten el valor de hacerlo.* Encerraba para mí muchos significados. Muchas acusaciones.

Permanecimos tumbadas contemplando las estrellas durante aproximadamente una hora, y, por una vez, Ellie no me habló de ninguna constelación. Ni siquiera señaló a Júpiter. Eso me preocupó hasta el extremo de que estuve a punto de señalarlo yo.

Pero entonces lo miré y vi al mismo tiempo su historia y su futuro.

Vi una explosión gigantesca. Vi los planetas y las estrellas ocupar su correspondiente lugar en la negrura. Vi la velocidad de la luz. Luego de nuevo la oscuridad, como si todo hubiera muerto. Sentí ganas de llorar.

De modo que desvié la vista.

Miré a Ellie y observé que parecía asustada.

Quizás había visto lo mismo que yo.

—Debo irme —dije. Sin más. Me levanté de repente, esperando a que Ellie se levantara de mi manta. Cuando lo hizo, se despidió de mí en voz baja.

Al llegar a casa dije hola a mi padre. Pero no lo miré. Pensé que si lo hacía, mi padre vería en mí a una chica desquiciada que acababa de beberse los restos de un murciélago momificado. Quizá vería que yo era Dios.

Era desconcertante.

Me metí en la cama vestida, tratando de comportarme con normalidad. Pero no me sentía normal. Me sentía como si flotara. Como si volara. Al mismo tiempo, más ligera y más pesada.

Tuuuuiii-tuuuu-tuuuu-tuuuu

A las cinco me despertó la tórtola que vive junto a la ventana de mi dormitorio. Nunca me han gustado las tórtolas. Dicen que su arrullo suena como un lamento, pero yo sé cómo suena un lamento y esa paloma no se lamentaba de nada.

La ventana medía unos dos metros de altura y tres de ancho y estaba dividida en tres secciones. Frente a mi ventana había una hilera de árboles frutales en flor. La tórtola estaba posada en uno de ellos, entonando esa horrible canción: *Tuuuuiii-tuuuu-tuuuu-tuuuu*.

Cuando la miré, vi cosas.

Cosas extrañas.

Vi a sus antepasados. Vi cómo un coche atropellaba a su trastarabuelo*, cuyas plumas volaban por doquier. Vi a sus hijos. Vi a sus bisnietos. Vi la infinidad de esa ave hasta su extinción. Hasta quedar reducida a polvo.

Al igual que la noche anterior había visto Júpiter.

Experimenté una sensación familiar de pánico. Sacudí la cabeza y eché los hombros hacia atrás para aliviar la opresión que sentía en el pecho.

Hoy sería un día normal e iría al centro comercial a comprarme un vestido para la graduación. Muy sencillo. Más tarde quizá me reu-

---

* Antepasado de quinta generación. *(N. de la T.)*

niría con Ellie y diría algo como: «Uy, qué experiencia tan rara», y las dos nos reiríamos.

Ja, ja, ja, ja, ja.

Me duché. Hice las cosas que mi padre me había enseñado cuando era pequeña y mi cerebro se movía demasiado rápido. Mantuve la luz del cuarto de baño apagada. Traté de no pensar en nada salvo en el agua que me golpeaba la cara. Traté de *estar allí*. Respiré con normalidad. Sonreí. Moví la cabeza de un lado a otro para relajar los músculos del cuello. Sentí el agua que me golpeaba la cara. Sonreí de nuevo.

Pero seguía sintiéndome rara. Me sentía como el murciélago Negro Máximo. Sentía que tenía unas alas invisibles en la espalda. Sentía deseos de comer bichos. Oía sonidos a muchos kilómetros de distancia.

Yo era diferente.

Moví de nuevo la cabeza de un lado a otro para relajar los músculos del cuello. Sentí el agua que me golpeaba la cara. Sonreí. «Glory, no seas tan melodramática.»

———

Metí mi cámara (la Leica M5 con una película en blanco y negro) en mi bolsa por si quería detenerme y tomar unas fotografías de camino al centro comercial para comprarme un vestido. Solía hacerlo a veces. Lo consideraba una reliquia de familia: pasar ratos a solas explorando cosas que nadie encontraba interesantes. Plasmando esas cosas interesantes en negativos. Lo consideraba mi derecho.

Darla O'Brien había metido la cabeza en el horno, y ahora yo fingía a veces que era ella. Fuera lo que fuese ella. Quienquiera que fuera. Yo fingía que lo sabía. *Tuuuuiii-tuuuu-tuuuu-tuuuu.*

Cuando me marché mi padre se disponía a sentarse en el sofá. Mientras yo enjuagaba mi bol de cereales en la cocina, me preguntó:

—¿Estás bien?

—Sí. Voy a comprarme el estúpido vestido —respondí.

—No estás obligada a ponerte un vestido —dijo mi padre. Me imaginé a Darla diciéndome eso. O quizá no me lo habría dicho.

—Ya lo sé.

—Bien.

La verdad es que no sabía qué otra cosa se ponían las chicas cuando querían ir elegantes. No quería llevar un traje sastre ni nada por el estilo. Decidí ir al centro comercial a echar un vistazo y si no encontraba nada que me gustara, de camino a casa me pasaría por la tienda de ropa *vintage* a precio de saldo y me compraría una de esas sencillas batas de casa de los años cuarenta. Una prenda informal y holgada. Que pudiera ponerme con mis zapatos Doc Martens sin que desentonara.

Todo el mundo pensaba que yo era rarita. *Glory O'Brien, votada como La Chica Que Probablemente No Será Tu Amiga. Glory O'Brien, votada como La Chica Que Probablemente No Te Tocará El Pito. Glory O'Brien, votada como La Chica Que Probablemente Acabará Metiendo La Cabeza En El Horno.*

Cuando aparqué delante del centro comercial donde estaban los grandes almacenes Sears, un coche se detuvo en el espacio junto a mí y miré a la conductora y ella me miró a mí y tuve… una visión. Un cúmulo de visiones, en realidad.

Transmisión de la mujer que había aparcado junto a mí: *Su madre estuvo en la cárcel. A su abuela le encantaba el jazz. Su nieto abandonará el instituto sin haber obtenido el diploma. Su otro nieto será senador y conseguirá que las mujeres perciban el mismo salario que los hombres. Eso sucederá a mediados del siglo veintiuno. Ese senador tendrá una segunda vivienda en Arizona, y el día en que presente esa ley en el Senado en Washington, D.C., la gente de Arizona prenderá fuego a su casa.*

Aparté la vista de la conductora y meneé la cabeza.

Eso ha sido una locura.

Quizás estés loca.

Te has venido abajo.

Como Darla.

Tuuuuiii-tuuuu-tuuuu-tuuuu.

La conductora no se percató de que la estaba mirando fijamente. Yo no creo que lo estuviera haciendo. Creo que la transmisión se produjo en un segundo o menos.

Me encaminé hacia la puerta principal de Sears convencida de

que imaginaba cosas. Era imposible que haberme bebido un murciélago muerto me provocara esas alucinaciones: ver el futuro o el pasado de otras personas. Había leído sobre ranas que podías lamer o
ciertos hongos que podías comer y otras cosas extrañas como nuez
moscada. Pero no sobre murciélagos.

Nada sobre murciélagos.

El bromazo fue que

Al entrar en el centro comercial la cosa no mejoró. Mantuve la vista baja casi todo el rato, pero cuando me atrevía a mirar a alguien veía a sus antepasados y a sus descendientes. Podía ver acontecimientos en su pasado y su futuro. Supongo que puede decirse que veía su infinidad.

Ejemplo.

Transmisión de un hombre que está discutiendo con la cajera en Sears: *Su trastarabuelo era un esclavo en una plantación de Alabama, víctima de constantes malos tratos por parte de los hombres para los que trabajaba. Mató a dos de ellos con sus propias manos antes de ser azotado hasta morir como castigo. El hijo de ese hombre también era un esclavo. Su bisabuelo conoció la libertad, pero también la ira y los malos tratos. Su abuelo se trasladó al norte, pero no era libre. Su padre participó en las revueltas de Newark en 1967. Prendió fuego a numerosas casas. Ninguna transmisión del futuro. El hombre no tiene hijos.*

Mierda.

Yo sabía que tenía que atravesar Sears para llegar a Dressbarn, una tienda de vestidos, de modo que fijé la vista en el suelo y eché a andar rápidamente. Cuando salí de Sears, atravesé el puente que se extiende sobre una fuente. La fuente había adquirido fama debido a un vídeo en YouTube de una mujer que caminaba tan distraída mientras escribía mensajes de texto que se había caído en ella. Si has visto ese vídeo, sabes que la fuente está frente a Sears.

Junto al puente hay unos bancos de madera. Me senté en uno de ellos y saqué un centavo de mi bolso. Si alguna vez hubo un día en que convenía formular un deseo, era ése.

Arrojé el centavo a la fuente y cerré los ojos. «Deseo no volverme loca como Darla.»

La tienda Dressbarn estaba a la izquierda del centro comercial, junto a un Orange Julius y un establecimiento con el escaparate a oscuras que antes era un Build-A-Bear Workshop. Cuando me dirigí hacia Dressbarn, vi a una niña pequeña caminando por el pasillo central del centro comercial, deteniéndose junto a cada planta. Tenía que tocar el tiesto con la manita en una especie de ritual infantil semejante a un trastorno obsesivo compulsivo.

Transmisión de la niña en el centro comercial: *Su hijo será un médico que viajará a países donde ocurren desastres. Irá a China. Irá a Italia. Irá a Siria. Irá al Congo y a Zimbabue. Será nominado para un premio de la paz, pero no lo obtendrá.*

Observé a la niña caminar zigzagueando de una planta a otra hasta que desapareció de la vista. Sentí que los jóvenes que trabajaban en Orange Julius me miraban extrañados. Fijé de nuevo la vista en el suelo y entré en Dressbarn.

Encontré un vestido veraniego de algodón en mi talla. Parecía casi una de esas batas de casa de los cuarenta, pero era más corto y estaba más entallado. Lo tomé del perchero, en una talla mayor que la mía, y lo llevé al probador. Cuando entré y me senté en el taburete comprobé que había dos espejos.

Si me miraba en el espejo quizá vería cosas que no quería ver. O quizá que mi bisnieta sería una mujer excepcional que hallaría el remedio contra el cáncer o el sida o algo por el estilo.

O quizás averiguaría cosas sobre los padres de Darla y los padres de éstos y los de éstos y los de éstos, hasta llegar a una pequeña y húmeda aldea en el este de Europa donde se habían conocido sus antepasados.

O quizás averiguaría lo que le había ocurrido realmente a Darla. En su cabeza. Quizá dejaría de tener que inventarme motivos por lo que había hecho. Suponiendo que existieran motivos.

Cuando por fin me atreví a mirarme en el espejo, no vi nada. No recibí ninguna transmisión. No vi mi futuro ni mi pasado. Sólo me vi a mí misma, veinticuatro horas antes de graduarme en el instituto, sin haberme liberado, sin haber tenido el valor de hacerlo.

Glory O'Brien, bomba atómica

Compré el vestido, de una talla mayor que la que gasto, porque quería que tuviera un aspecto holgado, como esos vestidos que aparecen en las fotografías tomadas por Dorothea Lange del Dust Bowl* para la Administración de Seguridad Agraria. Vestir prendas de una talla mayor que la tuya te da aspecto de hambrienta y pobre. Hace que parezca que te estás consumiendo.

Cuando me pasé por el *drugstore* a la salida del centro comercial, me detuve en el pasillo número seis fingiendo que miraba los champús. Me pregunté: «¿Por qué tengo que comprar un remedio contra las ladillas para Ellie? ¿Por qué no puede comprárselo ella misma?» Estaba indignada. De pronto había pasado de ser Glory O'Brien, que había ido a comprarse un vestido, a Glory O'Brien, bomba atómica.

De alguna forma, el hecho de contemplar los nueve millones de tipos de champú Pantene hizo que viera a Ellie como lo que era. Una manipuladora. Una competidora. Una codependiente. Una garrapata. Un parásito obligado que me necesitaba a mí, pero yo no la necesitaba a ella.

Transmisión del bote de champú Pantene Pro-V Pelo Liso a Rizado 2-en-1: *Mi champú hará que los hombres te miren. Créeme. Lávate el pelo. Enjuágatelo. Repite la operación.*

---

* Tormentas de polvo que se produjeron en los años treinta en Estados Unidos y Canadá, causando graves daños al medio ambiente y a la agricultura. (*N. de la T.*)

Transmisión del bote de champú Pantene Pro-V Pelo Encrespado a Liso: *No utilices esa mierda del dos-en-uno. Hace que tu pelo tenga un aspecto áspero. Utilízame a mí. Compra también un bote de acondicionador, y los hombres no dejarán de mirarte. De paso, ponte el pantalón más corto que tengas y desabróchate dos botones más de la blusa. Luce una piel bronceada. Y aféitate las piernas más a menudo.*

Tomé una fotografía de las hileras de champús. La titulé *Promesas vacuas.*

Me acerqué al mostrador de farmacia y pedí al empleado que me atendió un remedio contra las ladillas que tenía la golfa de mi amiga. Le dije:

—¿Puede darme algo para matar las ladillas que tiene la golfa de mi amiga?

Esto hizo reír a los dependientes de la farmacia y al cabo de unos minutos abandoné el centro comercial con un vestido para la graduación y un remedio contra las ladillas. Estaba indignada con Ellie por ser sexi. O por ser una golfa. O por ser lo que fuera que la había inducido a tener sexo antes que yo. Pero cuando eché a andar hacia el aparcamiento y crucé la mirada sin querer con un hombre que se dirigía hacia mí llevando a su hijo de la mano, me detuve.

Transmisión del tipo que se disponía a entrar en el centro comercial: *Su abuelo era maestro. Su nieta también será maestra, pero antes de que tenga oportunidad de ejercer esa profesión, se marchará de un lugar llamado Nuevos Estados Unidos.* Hice un gesto de desaprobación con la cabeza y me encaminé hacia mi coche.

Cuando me monté en él, me miré en el espejo de la visera esperando recibir una transmisión. Pero no recibí ninguna. «¿Lo ves, Glory? Son imaginaciones tuyas».

———————

Cuando llegué a casa, respiré hondo y me acerqué a mi padre.

—Me estás mirando fijamente —dijo.

—Sí —respondí.

Transmisión de mi padre: *Su tatarabuelo llegó a Estados Unidos procedente de Tipperary después de que los ingleses lo despojaran de sus tierras du-*

rante las revueltas de 1888 de los campesinos irlandeses contra el dominio bri-
tánico. Se llamaba Pádraig O'Brien y tocaba el silbato de hojalata y se ganaba
la vida con eso y robando en el área de Filadelfia hasta que se fue a vivir con
Mary Helen, una mujer que tenía catorce hijos, uno de los cuales era John, el
bisabuelo de mi padre. John O'Brien era un banquero… o un ladrón, depende
de cómo lo mires.

—¿Te has comprado el vestido? —preguntó mi padre.

—¿Qué? Ah, sí —contesté.

—Me alegro.

—Ya.

Mi padre sonrió.

—Sigues mirándome fijamente —dijo.

Transmisión de mi padre: *Su abuela dejó de hablarle a su hermana*
cuando dividieron la granja y ella obtuvo menos dinero que su hermana.

No recibí ninguna transmisión del futuro. Lo único que vi fueron
primos lejanos y abuelos e incluso antepasados del siglo quince devorando un cerdo asado al espetón con sus sucias manos.

Ningún futuro. Porque quizá yo no tuviera un futuro.

Bajé la vista y la fijé en mis manos.

—¿Tienes algo que decirme? —me preguntó mi padre.

—Sí. —Silencio—. Ya sé que siempre me has dicho que no, pero
¿puedo…, puedes darme la llave del cuarto oscuro de mamá?

Cuando le pregunté eso mi padre me miró sorprendido, como si
yo no hubiera estado tomando fotografías sin parar durante los últimos años, llenando los cuadernos de dibujo que me regalaba dos veces al año. Como si no hubiera estado llevando mis negativos en blanco y negro al laboratorio fotográfico local para que los revelaran en
lugar de hacerlo abajo, en un cuarto donde podía hacerlo yo misma.

Decidí suspender todo contacto visual y mirar al infinito mientras
hablaba con mi padre. Me tenían sin cuidado los antiguos O'Brien y
sus extrañas disputas familiares.

—Quiero revelar unos rollos y me parece absurdo llevarlos a un
laboratorio teniendo uno en casa.

Mi padre dijo:

—No he puesto los pies en ese cuarto oscuro desde… —Se detuvo y suspiró. Meditó en ello como si yo le hubiera pedido que hiciera algo que requería un enorme esfuerzo en lugar de entregarme una llave—. Sé que tu madre guardaba todos sus cuadernos de notas en el estante sobre el lavabo. Unos cuadernos de dibujo… como los tuyos. Encontrarás una gran cantidad de información en ellos. Recetas y demás. —Mi padre no cesaba de moverse, nervioso, como abrumado por esa conversación—. Recetas químicas. No de repostería. Tu madre era muy reservada sobre sus recetas químicas. —Señaló las fotografías que colgaban en las paredes—. Si lees sus cuadernos de notas, no debes decir a nadie lo que contienen, ¿de acuerdo? Y menos al cretino de Wilson.

El señor Wilson era el profesor de fotografía del instituto. Desde que había conseguido ordenadores para su laboratorio de artes gráficas, sólo conservaba un pequeño cuarto oscuro para sus clases de historia de la fotografía. Yo sabía que mi padre lo detestaba. Se conocían de antes. *Antes*.

—De acuerdo —contesté—. De todos modos, no tengo más clases con él. —Me aclaré la garganta y pronuncié la siguiente frase en voz alta y despacio—: Porque mañana me gradúo del instituto.

Mi padre dejó de trabajar en su ordenador y me miró.

—Caramba —exclamó.

—Ya.

—Caray, ¿cómo ha sucedido? —preguntó. Se quitó las gafas y se las limpió con su camiseta—. Acércate.

Me senté junto a él en el sofá y me sujetó afectuosamente por el cuello.

—¿Cómo es posible que te vayas a graduar ya del instituto?

—He hecho eso que se llama crecer. Cuando tu cuerpo y tu cerebro se hacen más grandes. Es un proceso increíble. Deberías intentarlo.

—Listilla.

—¿Y?

—Y me siento orgulloso de ti —dijo mi padre, soltándome el cuello.

—¿Te pasa algo en los ojos?

Mi padre volvió a limpiarse las gafas y pestañeó para reprimir las lágrimas que tenía en los ojos.

—Me preocupas.

Yo me encogí de hombros.

—No piensas ir a la universidad. No tienes planes. ¿Qué diablos vas a hacer aquí con tu viejo padre? —Yo no dije nada porque no sabía qué responder—. Espero que no hayas decidido quedarte por mí. No quiero que te quedes por mí.

—Tengo un plan —contesté, pensando que en realidad no tenía ninguno.

¿Cómo podía decirle a mi padre que no hacía planes porque era Glory O'Brien, la chica sin futuro? Hacía un año, cuando mis compañeros de instituto se dedicaban a leer información sobre las universidades y las descripciones de los cursos, yo pensaba sólo en la libertad. *La libertad de todo.* Aún no sabía qué significaba eso, pero sabía que significaba algo.

Creía que significaba seguir los pasos de Darla. Lo sabía, ¿comprendes? Lo sabía. Pero ahora quizá significara «Libérate. Ten el valor de hacerlo».

Mi padre sacó la llave de su llavero y me la entregó.

—Ten cuidado ahí abajo.

—¿Hay osos?

—No te hagas la graciosa. Hablo en serio. No puedes pasar demasiado tiempo en un cuarto oscuro, niña. Puede afectarte.

Por qué la gente toma fotografías

Zona cinco. Se llama gris medio. Así es como me sentí en el cuarto oscuro de Darla.

Gris medio.

No negro, no blanco. Sólo gris medio.

La zona cinco es un cincuenta por ciento gris. Si me midiera a mí misma, gris medio, en el cuarto oscuro de Darla, sería un cincuenta por ciento Darla. A medio camino de meter la cabeza en el horno, supongo. Quiero decir que nunca he tenido tendencias suicidas. ¿Era así como se sentía ella? *¿No con tendencias suicidas?* Porque quizá no se sintiera así y quizá yo no me sienta así y quizá no nos parezcamos en nada.

Cuando entré en el cuarto oscuro de Darla, encendí la luz principal, no la luz ámbar del cuarto oscuro, y me senté en la encimera para respirar simplemente y olvidarme de todo lo que había visto por la mañana. Quizá si me quedaba en el cuarto oscuro para siempre, no tendría que ver la infinidad de nadie nunca más.

Por fin estaba ahí. Olía a una mezcla de productos químicos, pero principalmente noté un olor acre que me recordaba a cómo olía el vestuario del instituto. Mal, pero no intenso. O intenso, pero no mal. Elige tú.

En un estante había unas cajas enormes y planas que contenían papel fotográfico que debía de tener más de trece años. Darla utilizaba siempre papel de fibra de primera calidad, no recubierto de resina o plástico. Mi padre me había dicho que el propósito de sus recetas era prolongar la vida de sus imágenes.

Irónico, ¿no?

Darla trabajaba de forma infatigable por conseguir que sus fotografías vivieran más tiempo y que todas ellas la sobrevivieran.

Qué le vamos a hacer.

Así que había cajas viejas de papel, jarros grandes para viejos productos químicos y todo el material de un cuarto oscuro que una chica pudiera desear. Tres ampliadoras: una gigantesca, que tenía su propio soporte, y dos de tamaño mediano sobre la encimera. Unas cubetas en las que cabían copias de hasta 50 × 60 centímetros, y otras más pequeñas para negativos de 10 × 12 centímetros. Espátulas. Pinzas. Cubetas para rollos. Calentadores para mantener el revelador a la temperatura adecuada. Reglas de plástico de diversos tamaños. Una lavadora de copias. Una secadora de copias que había confeccionado ella misma.

Todo. Todo estaba ahí. Darla estaba ahí.

Los cuadernos de dibujo me observaban desde un estante sobre el amplio fregadero de acero inoxidable.

Los miré preguntándome qué me importaban las estrambóticas recetas del virador de selenio o la solución de platino para el revelado o lo que fuera. Los miré preguntándome qué imágenes había decidido ella pegar en sus cuadernos. ¿Se parecerían a las mías? De pronto sentí miedo de poder acceder a las respuestas. Sólo quería trabajar ahí. Convertirlo en el cuarto oscuro de Glory. Eliminar el lugar secreto que tenía Darla en esta casa.

Quería que ella desapareciese para no tener que seguir haciéndome preguntas. Quería que ella estuviese ahí para enseñarme cómo hacerlo. Quería ambas cosas a la vez.

En realidad, no quería ni lo uno ni lo otro. Prefería formar parte de una familia de censores jurados de cuentas bien trajeados. Una madre y un padre. No había necesidad de un cuarto oscuro.

Mi teléfono móvil empezó a sonar.

—¿Ya lo tienes? —preguntó Ellie.

—Mierda —exclamé—. Sí. Lo siento. Ha sido un día muy raro.

—Lo sé —respondió Ellie. No sé a qué se refería, pero me pregunté si ella también veía cosas. El futuro. El pasado. Vista de murciélago.

—Ven a recogerlo. No puedo interrumpir lo que estoy haciendo.

—¿Ves cosas? ¿Cuando miras a la gente? —preguntó.

—Ven a recogerlo.

Tomé del estante unos cuadernos de notas de Darla y los deposité en la encimera. Había tres. Dos contenían principalmente notas sobre productos químicos. Metol, hidróxido de sodio, bromuro de potasio, hidroquinona, tiosulfato de sodio, ácido acético, ácido bórico, etcétera. No puedo decir que la química me interesara mucho.

Su otro cuaderno de dibujo se parecía al de mi padre y a los míos. Contenía fotografías pegadas con cinta adhesiva, leyendas escritas debajo de ellas. Lo dejé a un lado porque quería leerlo más tarde. No en ese momento. No cuando estaba a punto de llegar Ellie.

Recorrí la habitación tocando los objetos que sabía que ella había tocado. Abrí el cajón de la secadora de copias. Lo cerré de nuevo. Abrí los dos armarios debajo del lavabo y encontré trece años de polvo y excrementos acumulados de ratones. Giré los botones de las ampliadoras y abrí y cerré el fuelle. Vi un armario instalado en lo alto de la pared, detrás de las ampliadoras, y me subí en el taburete para alcanzarlo. Contenía principalmente material propio de un cuarto oscuro. Más productos químicos. Pero de pronto vi la esquina de algo oscuro que asomaba detrás del armario.

Tuve que subirme en el borde de la encimera para alcanzarlo y tocarlo, pero entre la pared y el armario había un espacio, un espacio en el que cabía un cuaderno de dibujo. Y en ese espacio había otro cuaderno de dibujo, de color negro como los otros. Pero este estaba oculto.

Tardé un minuto en sacarlo y bajarme del taburete para examinarlo. En la portada tenía un título pegado con cinta adhesiva. *Por qué la gente toma fotografías.* Pasé el dedo sobre la cinta adhesiva negra del cuarto oscuro con que estaba pegado el título.

Era un título extraño.

La pregunta que encerraba parecía tan difícil de responder como por qué había dedicado Darla su breve vida a conseguir que sus fotografías duraran más tiempo cuando ella misma no lo había hecho.

¿Por qué la gente toma fotografías?

No soy nadie especial

Por qué la gente toma fotografías empezaba con una página que contenía unas notas escritas con una letra como la mía. Historia verdadera: resulta que la letra de Darla era idéntica a la mía. Genial.

Decía:

> No soy nadie especial.
> Me atormenta el hecho de que no soy nadie especial.
> Me consuela el hecho de que no soy nadie especial.
> ¿Eres capaz de asimilarlo?
> ¿Eres capaz de asimilar el hecho de que probablemente tampoco seas nadie especial?
> La mayoría de las personas no pueden asimilarlo.

Mierda.

Todo se abría ante mí como un gigantesco ferrocarril. La mujer del centro comercial cuyo nieto promulgará la Ley de Salario Justo estaba allí. Mis antepasados que devoraban un cerdo al espetón estaban allí. La tórtola estaba allí. Ellie estaba allí. Negro Máximo estaba allí, sus alas semejantes a un frágil y crujiente merengue.

Aquí es donde el tren de alta velocidad comenzaba a avanzar por la vía férrea. Yo me hallaba en el vagón restaurante degustando un plato de galletas o algo parecido. En ese momento no lo sentí. Pero me había subido en el tren el sábado por la noche, cuando Ellie y yo nos bebimos el murciélago. Y ése era el inicio de su itinerario. Aquí.

«No soy nadie especial. Tú no eres nadie especial.»

«La mayoría de las personas no pueden asimilarlo.»

Sentí pánico, el deseo de salir corriendo. Recordé que Ellie no tardaría en aparecer en mi porche trasero para que le entregara el tratamiento contra las ladillas como si fuera algo de contrabando en la comuna, de modo que dejé los cuadernos de dibujo y abandoné el cuarto oscuro. Cuando subí, comprobé que mi padre había derribado sin querer la bolsa que contenía mis compras porque yo la había dejado en el borde del sofá. Había visto el vestido… y el remedio contra las ladillas.

—¿Hay algo que debas decirme? —preguntó, señalando la caja, que había depositado en la mesita de café.

—Ellie es una golfa —respondí.

Él asintió con la cabeza.

—La manzana no cae lejos del árbol.

Era lo último que yo quería oír después de leer el extraño cuaderno de notas de Darla.

Jupiterinos

No me apetecía ver a Ellie.

Mientras la esperaba en mi porche trasero, contemplando nuestro granero, comprendí que no tenía ningún motivo lógico para estar cabreada con ella. Tampoco sabía por qué decía que era una golfa. Lo único que había hecho Ellie era acostarse con Rick, que resultó que tenía ladillas. Para desgracia de Ellie.

—Hola —dijo al aparecer junto a la puerta trasera.

—Toma —respondí, entregándole la bolsa de plástico con el tratamiento contra las ladillas. No la miré.

—¿Puedo utilizar tu... granero?

—De acuerdo.

—¿Tú también ves cosas raras? ¿Es por esto que no quieres mirarme?

La miré. No recibí ninguna transmisión.

—¿A qué cosas raras te refieres? —pregunté mirándola a los ojos. Nada. Ella sostuvo mi mirada y me di cuenta de que también se sentía decepcionada.

—No sé cómo describirlas. Cosas raras, simplemente. Esta mañana, cuando hablaba con Kyla mientras preparábamos un aperitivo de frutos secos para la fiesta, la miré y vi todo tipo de cosas raras.

Me encogí de hombros como si eso no nos estuviera sucediendo. Como si yo no tuviera nada que decir. Como si ignorándolo desaparecería. Me encogí de hombros porque no me fiaba de Ellie y no quería compartir con ella un extraño superpoder accidental. Me encogí de hombros porque hasta entonces el hecho de encogerme de hombros me había resultado útil en otros aspectos extraños de mi vida.

—¿Me escuchas?

—¿Qué viste cuando la miraste? —pregunté.

Ellie arrugó el ceño.

—Unas personas emparentadas con ella, como sus abuelos o algo parecido. —Ellie hizo una pausa—. Debo de estar resacosa.

—Ya —respondí—. Vamos al granero.

El granero no era como el que había en la comuna donde vivía Ellie. No contenía grano ni animales ni herramientas. No había familias de *hippies* infestadas de piojos entrando y saliendo. Era el estudio de un artista. Estaba bien iluminado con unas claraboyas en el lado norte. Aún olía a pinturas aunque hacía trece años que mi padre no iba allí a pintar.

Me senté en el sofá y Ellie sacó la caja del tratamiento contra las ladillas de la bolsa y leyó las instrucciones mientras ponía cara de asco.

—¿Sabes lo que pensé anoche? —preguntó—. Mientras contemplaba las estrellas pensé que quizá sean jupiterinos.

Yo la miré como si no lo captara. Porque no lo había captado.

—Me refiero a las ladillas. Quizá sean alienígenas de Júpiter u otro planeta que han venido a recabar información de los seres humanos introduciéndose en la cabeza, o, en este caso, en el pubis.

Yo me reí y meneé la cabeza.

—En serio. ¿Acaso el pubis no es la parte más importante del ser humano?

—¿No has dicho cabezas y pubis?

—Exacto. Cabezas y pubis. Las partes más importantes del ser humano —respondió Ellie.

—¿De modo que pasan de un ser humano a otro obteniendo información sobre qué?

—¡Todo! ¿Acaso no reside en esos dos lugares todo lo que necesitan saber?

—¿Significa eso que no vas a matar las ladillas? —pregunté.

—Claro que no. Voy a matarlas ahora mismo. Pero pienso que es posible. ¿No? Es posible que las ladillas sean en realidad alienígenas de otro planeta.

—Seguro —dije. Todo era posible, incluso ladillas-espías de otra galaxia.

Aunque las dos reíamos y bromeábamos, lo cierto es que estábamos pensando en las transmisiones.

—¿Crees que nos estamos volviendo locas? —preguntó Ellie.

Yo seguía sin fiarme de ella. No sé por qué. Era como si hubiera caído un telón entre nosotras y yo no pudiera verla o recordar quién era o por qué éramos amigas o por qué me caía bien. Sólo deseaba regresar al cuarto oscuro de Darla.

—¿Lo crees? —preguntó Ellie de nuevo.

—Puede que los jupiterinos te estén volviendo loca —respondí, haciendo un ademán para que fuera a hacer lo que tenía que hacer—. Anda, ve a matarlos. Te sentirás mejor.

Ellie se detuvo en la puerta del cuarto de baño y dijo:

—Ayer vi a Rick con una mujer.

—Mierda.

—Era la madre de Rachel —añadió Ellie.

—Mierda —exclamé—. ¿Estaban juntos? ¿Me refiero a… juntos?

—Sí. Los vi haciéndolo a través de la ventana de la autocaravana de Rachel. Ese tío es un cerdo.

—Es un cerdo que probablemente ha pegado esos jupiterinos a la madre de Rachel —comenté.

—La cual se los pegará al padre de Rachel.

—Exacto. Supongo que todo es un gigantesco círculo kármico.

—Mierda —dijo Ellie. Luego se mordió el labio como solía hacer cuando reflexionaba sobre algo—. ¿Crees que soy una golfa?

—¡No! —contesté con vehemencia. Protesté. Exclamé. Mentí.

—Me siento como una golfa —insistió ella.

—Bobadas. Total, te has acostado con un chico.

—Varias veces.

—¿Y qué? —pregunté.

—Mientras que él probablemente se ha acostado con muchas otras personas —replicó Ellie; el labio le temblaba un poco—. Bueno, probablemente no. Quiero decir que está más claro que el agua —añadió, sosteniendo la caja del jupiteranicida.

—¿Y eso te convierte en una golfa? Yo creo que el golfo es Rick.

—Pero como es un hombre no tiene importancia —respondió Ellie—. Y ahora se ha estropeado todo. Debí esperar pero no lo hice y ahora... ¡esto! —dijo, agitando la caja.

—Tú no eres tu virginidad. Eres un ser humano. El estado de tu himen no tiene nada que ver con lo que vales. ¿De acuerdo? Nos están engañando. Llevan toda la vida engañándonos.

—¿El himen? Joder, Glory. Eso es muy profundo.

—El mundo está jodido. Anda, ve a eliminar a los infiltrados.

Ellie cerró la puerta del baño y oí el chorro del grifo. La oí proferir unas palabrotas mientras el agua seguía corriendo. Tomé una fotografía de la caja vacía que Ellie había dejado en la mesita de café. La titulé *Cuidado con lo que deseas*.

Me pregunté si al mirar a un jupiterino podría ver su futuro y su pasado como veía el futuro y el pasado de la tórtola y de las personas en el centro comercial. Me pregunté si al mirar a Jasmine Blue Heffner vería el futuro de Ellie.

¿Y por qué no podíamos vernos una a la otra? ¿Por qué nos hacía esta faena Negro Máximo el murciélago?

Ellie salió del cuarto de baño caminando como si hubiera montado a caballo.

—¿Qué viste? —le pregunté—. ¿Cuando miraste a Kerry?

—Kyla.

—Eso.

—No sé lo que vi. Vi una película muy extraña en mi cabeza, como si fuera mi imaginación.

—Dijiste que habías visto a sus abuelos.

—No sé quiénes eran. Eran parientes suyos, eso seguro. Se parecían a ella. Estaban bailando. Luego vi a Kyla sosteniendo a un bebé en brazos. No sé si era su hijo. Ella parecía mayor. Tuve la impresión de que el bebé era suyo —prosiguió Ellie, riendo—. Debe de ser la cerveza, ¿verdad? Anoche estaba bastante bebida.

—Sí —dije—. Ya se te pasará.

Eran los noventa

Ellie no era una golfa. Era mi única amiga. Y yo era una perdedora por pensar todas esas cosas contradictorias sobre ella. Se fue a su casa, tras librarse de los jupiterinos, y me dijo que nos veríamos al día siguiente por la noche en la fiesta de las estrellas. Yo le recordé que quizá llegaría tarde debido a mi graduación.

Esto hizo que se detuviera en seco. Me miró y sonrió. Era una sonrisa forzada.

—Me gustaría asistir —dijo—. No puedo perderme tu graduación. Eres mi mejor amiga.

—No es para tanto. Te veré en la fiesta. Sé que no quieren que… ya sabes.

—¿Que me ausente?

—Supongo.

—Pediré a mi padre que me apoye.

—Te deseo suerte.

Las dos nos reímos, pero sin sonreír. Era el tipo de risa que me hizo comprender que Ellie se sentía al margen. Que se sentía de nuevo como una friqui. Y una golfa. Lo contrario a liberada. Cuando regresé a la casa, pensé en cómo debía de sentirse mi única amiga estando tan controlada por Jasmine Blue.

Pensé en lo controlada que estaba yo por una madre que ni siquiera estaba presente.

Mi padre estaba en la cocina calentando dos cenas para microondas. La mía tenía en la bandeja del postre un pastelito relleno de fruta, al que añadí una cucharada de helado porque estaba delicioso. ¿Quién no se comería un pastelito relleno de fruta cubierto de helado todos los días si pudiera? Yo no era nadie especial y podía comer ese postre todos los días si quería.

Cuando terminamos de cenar, echamos nuestras bandejas de plástico al cubo del reciclado y mi padre regresó al sofá con su ordenador portátil mientras yo me dirigía hacia la puerta de acceso al sótano.

—¿Has encontrado algo interesante hoy allí abajo? —preguntó mi padre.

Yo quería hablarle sobre el cuaderno de notas oculto de Darla. Pero en lugar de ello le pregunté:

—¿A qué te referías al decir que Ellie no había caído lejos del árbol? Deduzco que Jasmine Blue era…

—Eran los noventa.

—La situación no era tan distinta.

—Todo era distinto cuando nos mudamos todos aquí —respondió mi padre.

—Así que en esa época Jasmine era una golfa. Fue lo que dijiste, ¿no?

—Jasmine Blue iba a su aire. Y sigue haciéndolo —añadió mi padre, riendo.

—Ellie no es realmente una golfa. Tiene novio —dije—. Que se ha comportado como un cretino.

—Me alegro de que lo que compraste para tu amiga no fuera una prueba de embarazo. Por el bien de ella.

—Ya.

Mi padre siguió trabajando con su ordenador mientras charlábamos. No creo haberle visto nunca hacer una sola cosa. Era incapaz de ralentizar su cerebro lo suficiente para meditar. Quizá fuera por eso que él y Darla dejaron de frecuentar la comuna.

—Bueno, ¿lo has pasado bien allí abajo? —preguntó de nuevo.

—Estoy impaciente por empezar a trabajar —contesté—. Tengo que revelar un rollo en blanco y negro y luego compraré un papel barato. Espero acordarme de cómo hacer copias. Hace bastante tiempo que asistí a las clases de historia de la fotografía del señor Wilson.

—¡Uf! —exclamó mi padre con vehemencia. *¡Uf!* Como si yo acabara de reventarme un grano delante de él o algo parecido.

—¿Qué?

—No compres un papel barato. Déjalo de mi cuenta. Lo encargaré por Internet. Confía en mí.

—Pero... yo...

—He comprado un nuevo revelador y un nuevo fijador. Están debajo del fregadero de la cocina.

—Ah. —¿Cómo sabía mi padre que los necesitaba?

—Los dos pasábamos horas allí abajo.

—Debes de echarla de menos —dije. No sé por qué lo hice. Salvo que quizá fuera verdad. Y la verdad *es* la verdad.

Mi padre suspiró.

—Todos los días, Bizcochito. Todos los días. —Me miró sonriendo y yo evité el contacto visual fijando la vista en su brazo—. Y mañana te gradúas —prosiguió—. El tiempo pasa volando.

Parece que todo iba sobre ruedas, ¿verdad? El hecho de que yo no tuviera una madre y mi padre se lo tomara con filosofía y esas cosas. Pero no era así. El ambiente era tenso. Aún no habíamos reemplazado el horno. Mi pastelito relleno de fruta sabía a radiaciones, por mucho helado que le echara. Yo sentía los secretos que se ocultaban en la tierra de nuestro hogar. La forma en que mi padre se refería a Jasmine Blue y a los noventa. Algo estaba a punto de brotar de esa tierra. Lo sentía del mismo modo que podía ver la infinidad de la tórtola.

LIBRO SEGUNDO

La consecuencia del murciélago

Graduarte significa que a partir de ahora tienes que hacer algo con tu vida. Tienes que comportarte como una persona adulta y adquirir tú misma tus billetes de tren, pedir un préstamo para estudiantes para poder formar parte del sistema. Tienes que especializarte en algo. La luz no aparece hasta después de esos trámites. Lamento haber dicho que la graduación es la luz que se ve al final del túnel. Era mentira.

El mundo nunca es lo que parece

El día de la graduación, la tórtola no se posó donde yo pudiera verla. Podía oírla. Siempre puedo oírla. *Tuuuuiii-tuuuu-tuuuu-tuuuu*. Pero no podía verla para poner a prueba los poderes mágicos que me había conferido el murciélago. En parte me sentí aliviada porque en realidad no quería tener poderes mágicos. Confiaba en que todo eso perteneciera al ayer, que dormir me hubiera curado.

Bajé al cuarto oscuro temprano, mientras mi padre estaba en el baño haciendo sus habituales abluciones matinales. Abrí *Por qué la gente toma fotografías* por la siguiente página que contenía unas notas. No había muchas. Principalmente había fotografías con leyendas escritas a mano, como en mis cuadernos de dibujo.

La página decía:

Me atormenta lo banal. Tú eres banal. Tú me atormentas.

Me atormenta comer, beber y dormir. Me atormenta lavarme los dientes. Me atormentan los cacharros que hay siempre en el fregadero aunque los lave cuatro veces al día. Me atormenta el arroz basmati, los fideos de arroz, las malditas pechugas de pollo deshuesadas. Me atormenta el caldo de buey y la sal y la pimienta. Me atormenta la comida del almuerzo. Las opciones limitadas. El jamón y el queso. La mantequilla de cacahuete y la gelatina. La sopa y el sándwich. Las ensaladas.

¿Te parece esto normal? ¿Te sientes bien? ¿Te sientes también atormentada?

Mierda.
Mierda. Mierda. Mierda.
Lo leí tres veces más. Me hice la pregunta. «¿Te sientes también atormentada?»
«¿Lo estás?»
Saqué mi cuaderno de dibujo y escribí la respuesta.

Yo también me siento atormentada. Me atormentan la grasa de la barriga y las portadas de revistas que tratan sobre cómo complacer a todo el mundo excepto a mí misma. Me atormentan los borregos que se tragan cualquier cosa que garantice una pérdida de cinco kilos de peso en una semana. Los borregos dispuestos a arrodillarse con tal de que los estimen más por ello.

Me atormenta mi incapacidad de querer salir con personas desesperadas. Me atormenta el maldito anuario del instituto que está lleno de tonterías. Te conocí cuando... Echaré de menos los ratos que... Te llamaré... Amigas íntimas para siempre...

¿Te parece esto normal? ¿Estás bien? ¿Te sientes también atormentada?

Yo tenía que estar en el instituto a las once para la ceremonia de graduación, de modo que no tenía tiempo de seguir leyendo o escribiendo. No me apetecía asistir a la graduación. No me apetecía ningún aspecto de la misma. Ni la toga ni el bonete. Ni la vistosa borla con la placa que ponía 19114. Ni los profesores colocados en fila para felicitarnos. Sólo me apetecía quedarme allí sentada y pasarme el día leyendo el libro de Darla titulado *Por qué la gente toma fotografías*.

Porque me *sentía* atormentada.

Por preguntas cuyas respuestas quizá se hallaran en su libro.

Por los elefantes que había por toda mi casa.* (Consejo: Mira en el congelador.)

Y por la comida del almuerzo. Odiaba los sándwiches y las ensaladas. Cuando leí esa parte, me sentí como si alguien me comprendiera por fin. Pero puede que odiar la comida del almuerzo fuera otro paso hacia… ya sabes.

Pasé la página y vi la fotografía de una mujer desnuda a la que le faltaba la cabeza, porque la habían arrancado de la foto. No se parecía a lo que Markus Glenn me había enseñado en su ordenador portátil cuando íbamos a primero de secundaria. No se parecía a las fotografías que solía tomar Darla. Era en color. Con un efecto *flou,* levemente desenfocada. Una tonalidad cálida. El fondo estaba arrugado y demasiado próximo a la mujer. La iluminación era intensa y arrojaba sombras profundas.

Sobre la foto Darla había escrito: *¿Por qué haría alguien una cosa semejante?*

Debajo de la foto Darla había escrito: *El mundo nunca es lo que parece.*

Pasé la página sin estar preparada para lo que iba a ver.

Era el retrato de un hombre sin cabeza porque se había levantado la tapa de los sesos con la escopeta que había junto a él sobre la cama.

Sobre la foto Darla había escrito: *¿Por qué haría alguien una cosa semejante?*

Debajo de la foto Darla había escrito: *He decidido llamarlo Bill.*

Contemplé la fotografía durante largo rato.

«Bill» conservaba la mandíbula, una pequeña parte de la oreja y la barba. Era lo único que quedaba de su cabeza. Su mandíbula estaba destrozada y era el doble de ancha que lo normal, y la oreja y la patilla adheridas a ella tenían un aspecto viscoso, marrón e hinchado, como si la cabeza tratara de compensar la falta de otras partes de la misma. Como si tratara de rellenar los pedazos que faltaban y estaban

---

* La expresión metafórica inglesa «un elefante en la habitación» hace referencia a una verdad evidente que es ignorada o pasa inadvertida, o un problema o riesgo que nadie desea abordar. (*N. de la T.*)

diseminados por toda la habitación. Su camisa de franela parecía nueva, recién planchada. Era negra y estaba manchada de sangre, pero debajo de la sangre se apreciaba el diseño del tejido.

Parecía un hombre alto y corpulento. Con la cabeza, calculo que mediría más de un metro ochenta. Quizás un metro ochenta y cinco u ochenta y siete. A su lado había una escopeta. No sé de qué tipo, porque no entiendo nada de escopetas. En esta tierra de artistas/friquis *hippies* raritos no consumistas vivíamos apaciblemente. Ni siquiera cerrábamos nuestras puertas con llave.

Miré de nuevo la fotografía de la mujer desnuda con la cabeza arrancada. Tenía la misma pregunta que la foto de Bill. *¿Por qué haría alguien una cosa semejante?*

Me estremecí al pensar en lo que vería en la página siguiente, pero sólo contenía los datos del baño de paro. El baño de paro es el ácido que detiene la acción del revelador sobre una copia en gelatina de plata. La orden de revelado de una copia es el siguiente: revelador, baño de paro, fijador, lavado. Cuando introduces un papel fotográfico expuesto en un revelador (alcalino), sigue revelándose hasta que lo introduces en el baño de paro (ácido).

El baño de paro que utilizaba Darla consistía en un cero ochenta y cinco por ciento de ácido acético.

Por lo visto, a Darla le fascinaba la historia del ácido acético. A mí me parecía aburrida, y si no subía enseguida a ducharme y vestirme llegaría tarde a la graduación, de modo que cerré el cuaderno y lo coloqué de nuevo en su escondite. Pero no podía quitarme a Bill de la cabeza. Al parecer, Darla tampoco.

De haber existido una especie baño de paro emocional para ese tipo de pensamientos, ¿estaría Darla viva aún? En tal caso, ¿en qué consistía ese baño de paro?

Después de ducharme y tratar de realizar ejercicios de yoga para relajarme, que sólo consiguieron que me sintiera como una inútil incapaz de realizar ejercicios de yoga para relajarme, bajé y me senté junto a mi padre, que estaba trabajando con su ordenador portátil en el sofá, tratando de ayudar al mismo tiempo a tres clientes del chat *online*. Miré la pantalla y evité todo contacto visual con él, lo cual no me costó ningún esfuerzo desde esa postura.

—Éste ni siquiera sabe lo que significa la palabra «reiniciar» —dijo mi padre—. La gente debería pasar un examen antes de poder comprarse un ordenador.

Lo miré mientras tecleaba y hacía clic y seguía tecleando. Era bien parecido. Viril. Inteligente. Muy inteligente. Lo bastante inteligente para saber que no debería estar sentado en el sofá tratando con personas que no saben lo que significa «reiniciar».

—Ha llamado Ellie —comentó—. Se reunirá contigo en el instituto.

—Ah —respondí—. ¿Te ofreciste para llevarla en el coche?

—Sí. Pero ya tiene quien la lleve.

Alcé la vista y miré el cuadro en la pared. *Mujer.* Observé sus curvas, su rostro poco atractivo, su pálida piel, su pose relajada. Miré de nuevo a mi padre tecleando en el sofá. Pensé en las fotografías de Darla. En la mujer sin cabeza. En el hombre sin cabeza. Traté de descifrar lo que significaba. Quería preguntarle a mi padre dónde había conseguido Darla la foto de Bill, el tipo muerto. Quería preguntarle si Darla solía acudir al lugar de un crimen para tomar las correspondientes fotografías. Quería saber de dónde había sacado la foto de la mujer desnuda que ahora no tenía cabeza.

Pero era el día de la graduación. No quería estropearlo. De modo que dije una cosa que había querido decirle a mi padre desde tercero de secundaria, que fue la última vez que lo hice.

—¿Papá?

—Sí —respondió, sin dejar de teclear.

—Quiero que vuelvas a pintar.

—Hummm.

—No, en serio.

—¿Pagarás tú los recibos? —preguntó.

—Los recibos los pagará el fondo fiduciario, y tú lo sabes.

Era cierto. La casa era nuestra. Comprábamos pocas cosas. Utilizábamos poco nuestros teléfonos. Y la última vez que había mirado a escondidas el informe del banco, había comprobado que el fondo era cuantioso.

—¿Ves esa pared? —continué, señalando las fotografías tomadas por mi madre. Una serie de paisajes que nunca me habían gustado. Eran insípidos. Por mucho tiempo que durasen, por muchas zonas que estuviesen representadas o lo meticulosamente que mi madre los había enmarcado. ¿A quién le importa una mierda un tocón de árbol y un tríptico de unas gigantescas rocas?—. Quiero ver un Roy O'Brien colgado en esa pared. Algo que me haga vibrar. Eso es lo que quiero. —No comenté nada sobre los cuadros expresionistas alemanes de un horno que veía en mi imaginación.

—Tengo que seguir trabajando —dijo mi padre.

Libérate. Ten el valor de hacerlo

—¿Qué te ha pasado? —pregunté a Ellie. Me esperaba en el aparcamiento del instituto y en cuanto aparqué el coche, se acercó a la puerta del conductor. Tenía unas cosas escritas en los antebrazos con rotulador negro. Tenía el pelo húmedo debido al sudor y fragmentos extraños adheridos a él.

—Creo que no puedo quedarme —contestó, pestañeando mucho y casi sin dejar de mirar el pavimento que pisábamos en el aparcamiento trasero del instituto.

Yo sostenía mi toga, cubierta con una delgada funda de plástico de tintorería, sobre mi brazo izquierdo y extendí el derecho hacia ella.

—Éste ha sido el día más jodido de mi vida —dijo Ellie.

—¿Estás bien? ¿Ha ocurrido algo? —pregunté. Ellie parecía a punto de venirse abajo.

—Sí, estoy bien —respondió.

—¿Qué es eso? —pregunté, señalando sus brazos.

Ignoró mi pregunta y respondió:

—Hoy he visto muchas cosas, Glory. Cosas raras.

—Lo sé. Yo también las veo, ¿recuerdas? Mola.

—¡No mola! —gritó—. ¡No mola!

—¿Qué has visto?

—*Todo*. Personas practicando sexo o personas muriéndose o personas naciendo o… No sé. Cosas raras.

—¿Como el futuro?

—Sí.

—Pero no puedes ver el mío, ¿verdad?

Ellie me miró a los ojos.

—No.

—¿Cómo has venido? —pregunté.

—Andando.

Vivíamos a más de seis kilómetros del instituto.

—¿Andando?

Ellie se encogió de hombros. Leí lo que había escrito en el interior de su antebrazo izquierdo. *Libérate. Ten el valor de hacerlo.*

—No sé qué hacer con esto…, con las cosas que veo. No sé lo que significan.

—Quizá no signifiquen nada —apunté.

—Significan algo. Lo sé. —Ellie miró el mensaje que había escrito en sus brazos y tuve la impresión de que no era un mensaje destinado a ella misma, sino quizás a mí.

—Debo irme —dije.

Ella asintió.

—No mires a la gente. Ésa es la clave. Hablaremos más tarde.

Ellie asintió de nuevo. Rápidamente. Como si estuviera colocada o algo parecido.

Acto seguido se alejó a través de un mar de coches. Yo me encaminé hacia el gimnasio.

Transmisión de Jody Heckman, jefa de las animadoras y presidenta del consejo estudiantil: *Su bisabuela fue atacada por doce soldados en la Alemania nazi. Su bisnieta sufrirá la misma suerte durante la segunda guerra de Secesión Estadounidense.*

Aparté la vista.

«¿La segunda guerra de Secesión?»

Me puse la toga blanca y me ajusté el bonete con dos horquillas que tomé de la gigantesca bandeja de horquillas que había en la mesa de la entrada. Luego me situé en el lugar que me correspondía alfabéticamente, entre Jason Oberholtzer y Ron Oliveli, con la vista fija en las baldosas de linóleo como si estuviera sumida en un extraño limbo.

Pensé en el cuarto oscuro de Darla. Pensé en las fotografías que revelaría y en las copias que haría en verano. Pensé en que todo tiene fases. Mi relación con mi padre. Mi relación con Ellie. Mi relación con este día: el día de la graduación.

Era como revelar fotografías: revelador, baño de paro, fijador, lavado.

Todo tiene fases.

Hay un momento en la vida de todo fotógrafo o fotógrafa que ha sido expuesto pero no revelado. La luz de la ampliadora ha incidido en el negativo y ha dejado su impresión sobre el papel, pero sin la magia del revelador el papel seguirá siendo blanco y nadie verá esa impresión.

En la cafetería entre Jason y Ron, me sentí como ese pedazo de papel. Expuesta pero no revelada. Un potencial debajo de la superficie. En blanco.

Al mismo tiempo, sabía que si alzaba la vista y miraba a cualquiera de mis compañeros de clase a los ojos, averiguaría más sobre ellos de lo que ellos jamás llegarían a averiguar sobre sí mismos. Deseaba a un tiempo hacerlo y no hacerlo. Pensé en la posibilidad de una segunda guerra de Secesión y decidí distraerme echando un vistazo al programa de la graduación.

Cuando echamos a andar en fila india hacia el estadio de fútbol comprendí que la mayoría de las personas son como yo: expuestas pero no reveladas. Reservadas. Asustadas. Decidí sumergir a la audiencia en un revelador paranormal y ver lo que el murciélago deseara que viese.

Transmisión de la señora Lingle, la secretaria del instituto: *Su padre jugaba al tenis todos los días, hasta que tuvieron que operarle la rodilla y ahora se siente inútil.*

Transmisión del señor Knapp, el profesor del taller: *Su nieta tocará el piano en Carnegie Hall. Sin embargo, se sentirá fracasada.*

Transmisión de mi padre, al que vi al pie de la escalera cuando descendimos hacia el escenario que habían montado en el césped del campo de fútbol: *Su abuelo solía llamarlo Roy el Chico porque era el único chico entre veinte primos. Su madre solía pensar que como era el único varón corría el peligro de ser un chico consentido, de modo que procuró reprimir cualquier manifestación de afecto hasta que un día se marchó y no regresó jamás.*

Transmisión de un padre elegido al azar que tomaba fotografías desde un lado del escenario: *Su madre se está muriendo en una residencia de ancianos en el otro extremo de la ciudad. Su madre era una enfermera que se dedicaba a curar a enfermos afectados por las radiaciones en Japón en 1945 cuando Estados Unidos arrojó una bomba atómica sobre Hiroshima. La bomba se llamaba* Little Boy*.

Bajé la vista.

Mientras avanzaba por el pasillo hacia la fila que me correspondía, y luego hacia mi asiento, no levanté la vista del suelo.

¿A quién se le había ocurrido poner a una bomba de cuatro mil cuatrocientos kilos el nombre de *Little Boy*?

El murciélago quería que yo hiciera esa pregunta. Me mostraba lo que quería mostrarme. Me mostraba lo que sabía que yo quería ver. ¿Por qué quería que yo viera tanto dolor? ¿Por qué no podía ver algo cálido y peludo y dulce desde el punto de vista emocional? Yo quería verlo todo, ahora. Quería verlo todo.

---

* *Little Boy*: 'Niño pequeño'. (*N. de la T.*)

Yo volaría

La graduación resultó ser una prueba de resistencia. Los chicos recibieron sus diplomas, estrecharon la mano del director y le entregaron disimuladamente una piruleta en plan de broma. Sus bolsillos estaban a punto de estallar después de recibir cuarenta piruletas. Nuestra clase constaba de trescientos cuarenta y tres alumnos. El hombre tuvo que empezar a vaciárselos en el podio después de cada pocas filas de estudiantes. Yo no cogí una piruleta cuando abandoné la cafetería. No quería gastarle una broma al director.

Gerald Faust, nuestra estrella residente de un *reality* televisivo, recibió su diploma con el rostro cubierto con pinturas de guerra de los pobladores autóctonos de Estados Unidos. Empujó la silla de ruedas de una chica, a la que yo no había visto nunca, por una improvisada rampa de madera contrachapada situada en el lado izquierdo. La chica entregó al director una piruleta.

En cierto momento, durante la interminable espera mientras leían todos los nombres con *M*, crucé la mirada con un chico que estaba en el pasillo esperando subir al escenario. No lo había visto nunca. Tenía unos ojos castaños preciosos.

Transmisión de los Ojos Castaños Preciosos: *Su abuelo había huido de Cuba en los años sesenta y vivía aún. El abuelo de su abuelo, miembro del Partido Independiente de Color, murió asesinado en 1912, luchando por los derechos de los afrocubanos. Su nieto también morirá luchando por los derechos en la segunda guerra de Secesión.*

Sonreí tímidamente al chico de los ojos castaños preciosos y luego miré mi programa. Examiné la lista de los trescientos cuarenta y tres graduados. Algunos tenían un asterisco detrás de sus nombres. Otros no. Si dejaba que mis ojos se volvieran perezosos, todas las letras se hacían borrosas y se convertían en una enorme mancha de tinta azul.

Yo no soy nadie especial. Tú no eres nadie especial. ¿Eres capaz de asimilarlo? La mayoría de las personas no pueden asimilarlo.

Me atormenta lo banal. Tú eres banal. Tú me atormentas.

Miré mis zapatos Doc Martens. Los había cepillado y me había comprado unos calcetines blancos. Nadie podía ver mi vestido debajo de la toga, pero yo lo sentía allí, una talla mayor que la mía, haciendo que me sintiera más pequeña, encogiéndome hasta quedar reducida al tamaño de un murciélago.

Cuando por fin llegó el momento de que los de mi fila subiéramos al escenario, me levanté, alisé mi toga y respiré hondo. Pensé en Darla. Me imaginé a Bill, el hombre sin cabeza. Imaginé el cuerpo desnudo y sin cabeza de la página anterior en el cuaderno de Darla. «¿Por qué haría alguien esto?»

Pensé en el día de la letra «N». Pensé que mi educación formal había comenzado allí, ese día, y que hoy iba a finalizar. A partir de ese momento, no guardaría mi vida en secreto. Me comportaría como un ser humano normal, suponiendo que exista tal cosa. Sería libre. Vida, libertad y no dejaría que nadie me pisara. Volaría.

Quizás ése fuera el significado del mensaje *Libérate. Ten el valor de hacerlo.* Después de esa estúpida ceremonia, hablaría de ello. De Darla. Del suicidio. De todo lo que me ayudara a seguir avanzando. De lo que me impidiera pensar que estaba predestinada. No estaba predestinada. ¿O sí? No era otra manzana que caería demasiado cerca del árbol. ¿O sí?

Dije todo esto en mi cabeza, pero debajo de esas reflexiones había química y genes y preguntas que nunca habían obtenido respuesta. Preguntas que yo nunca había formulado.

———

Nos hicieron subir al escenario como piezas de una maquinaria. Éramos una cinta transportadora del futuro. Éramos una cadena de montaje del mañana. Nos entregaron nuestro diploma y nos colocamos frente a los espectadores, a quienes pidieron que no aplaudieran hasta el final, aunque algunos lo hicieron de todos modos.

Oí a mi padre gritar «Bizcochito!»

Oí a Ellie exclamar desde algún sitio: «¡Sí!»

Sonreí y miré al director. *Su pariente lejano morirá en la Cuarta Guerra Mundial del siglo veinticuatro, porque sus hermanos cerrarán la puerta del refugio antiaéreo y lo dejarán fuera. Historia real: El envenenamiento por radiaciones disminuye cuanto más rápidamente entres en un refugio antiaéreo. Aunque dejes fuera a tu propio hermano.*

Permanecí frente al público y oí un ruido confuso de proporciones épicas. Un millar de infinidades parloteando al mismo tiempo. Vi a cavernícolas y estaciones espaciales. Vi guerras que se libraban a caballo y otras con torpedos de fotones. Miré hacia abajo, salí por la escalera a la derecha y ocupé mi lugar en la cadena de montaje. Regresamos a nuestra fila y volvimos a sentarnos de forma simultánea.

Como perros.

Como perros amaestrados.

Cuando íbamos por la mitad de los nombres con *W* vi a Ellie caminando detrás de la gradería desmontable. Estaba vacía porque estaba situada detrás del escenario. Ellie encontró un lugar a la sombra debajo del centro de la gradería y se sentó. Luego se levantó y dibujó algo en la parte inferior de cada uno de los asientos de la gradería.

Yo la observé mientras nombraban a un montón de alumnos hasta llegar a Deanna Zwicky. Luego nos indicaron a los alumnos de la Clase de 2014 que nos levantáramos y agitásemos nuestra borla de un lado a otro, recordándonos por décima vez que no debíamos lanzar nuestro bonete al aire porque pesaba como un ladrillo y podíamos dejar a alguien tuerto.

Negro Máximo, el murciélago, me mostró que éramos obedientes como monos. Me dijo que adivinara lo que Ellie había escrito en la gradería.

Libérate. Ten el valor de hacerlo.

Lo cual era estupendo si no eras nadie especial.

Miré la nuca de trescientas cabezas y pico y pensé: «Es un día perfecto para tratar de descifrar esto».

Si Negro Máximo el murciélago hubiera controlado por completo la situación, me habría subido en mi silla plegable y lo habría proclamado a los cuatro vientos. Habría corrido hacia el escenario y lo habría anunciado por el micrófono. Mi mensaje habría dejado pálidos los ridículos discursos que había escuchado ese día.

Mi discurso habría versado sobre nuestra naturaleza.

La de los seres humanos.

Habría dicho que éramos una panda de animales egocéntricos.

Habría titulado mi discurso: *Sois banales*.

Páguese a la orden de

—¿Me oíste gritar? —preguntó mi padre.

—¿Tantos años pensando en lo que ibas a gritar en mi graduación y no se te ocurrió otra cosa que «Bizcochito»? —contesté, abrazándolo.

Mi padre me dio una tarjeta.

—¿Para abrirla ahora o para después? —pregunté. Nos miramos a los ojos. Transmisión de mi padre: *Un antepasado suyo mató a un hombre por un huevo duro. Su esposa estaba embarazada y tenía hambre. Tuvo una hija.*

—Como quieras. Pero si la abres ahora, quizá te haga sonreír.

Cuando mi padre dijo eso comprendí que hacía tiempo que no sonreía. No sé cuánto. Quizá trece años. Curvé las comisuras de la boca hacia arriba mientras introducía el dedo en el sobre de color azul cielo y lo rasgaba por la parte superior.

«Para mi hija graduada…»

En la cubierta había una fotografía en blanco y negro de una graduada y dentro un cheque de cincuenta mil dólares.

Cuando vi la cantidad escrita en la línea que pone Páguese a la orden de, cerré la tarjeta apresuradamente. Luego volví a abrirla y miré. Seguía poniendo cincuenta mil dólares.

—Dios mío —dije.

Mi padre me estrechó contra sí y me abrazó y me besó en la cabeza.

Yo no sabía qué hacer.

Guardé la tarjeta en el bolsillo grande y cuadrado de mi vestido parecido a los de las fotos del Dust Bowl. Luego abracé a mi padre y volví a abrazarlo, preocupada al pensar en qué me fundiría los cincuenta mil dólares, y luego dejé de preocuparme y miré sobre el hombro de mi padre y crucé la vista con la abuela de alguien.

Transmisión de una abuela elegida al azar: *Su bisnieto se marchará y no volverá a tener tratos con la familia... y al final encontrará un resquicio legal en la Ley de Salario Justo. Y ese resquicio legal destapará la caja de los truenos de la locura.*

—Es demasiado —dije a mi padre—. No puedo aceptarlo.

—Puedes y lo harás. Tu madre quería que lo tuvieras. No la conocías, pero te aseguro que no conviene llevarle la contraria.

Yo quería decir: «O meterá la cabeza en el horno y te obligará a comer alimentos irradiados toda tu vida».

En lugar de ello, palpé la tarjeta a través del tejido de lino. En lugar de ello, sentí ganas de vomitar porque hacerme la cínica no funcionaba. Mi madre había muerto. Hacía trece años que había muerto y era muy triste. No sólo para mí, sino para mi padre. Lo abracé de nuevo y fue un verdadero abrazo, no una palmadita en la espalda o unas bromas. Él me abrazó también con fuerza. Fue nuestro primer abrazo verdadero como adultos.

—Tenemos que hablar más sobre algunos temas —le susurré al oído.

—De acuerdo —respondió.

—Me siento un poco perdida, pero creo que estaré bien —añadí. Luego me aparté y le miré a los ojos.

Transmisión de mi padre: *Sus hermanas no lo llaman con frecuencia. Sus amigos no lo llaman con frecuencia.*

Traté de ver su futuro. Mi futuro. Cualquier cosa que reforzara la estupidez que acababa de decir sobre sentirme perdida, pero que estaría bien. Pero cuando lo miré no vi ningún futuro.

—Ese cheque quizá te ayude a ver tus opciones —dijo mi padre.

Observé a los otros graduados y a sus padres, dudando de que ninguno de ellos se paseara con cincuenta mil dólares en el bolsillo y sabiendo que iba a estallar una segunda guerra de secesión. Dudé que ninguno de ellos experimentara el intenso sentimiento de que podía morirse en el momento más impensado.

La multitud de graduados y parientes emitían de vez en cuando exclamaciones de alegría o de alivio o de solidaridad con el equipo de fútbol. Las personas trataban de pasar, separándonos a mi padre y a mí continuamente, al tiempo que decían: «¿Me permiten pasar por aquí?»

Parecía como si las otras familias formaran una piña demasiado unida para pasar a través de ellas, pero la nuestra tuviera una autopista.

—¿Te importa que me marche? —preguntó mi padre al cabo de unos cuatro minutos.

—No.

—Esto no es lo mío. —Se refería a las personas. Las personas no eran lo suyo.

—Yo también me iré pronto —dije—. Después de que haya devuelto mis cosas. Regresaré a casa dentro de un rato.

Me quedé allí, negando todavía que tenía cincuenta mil dólares en el bolsillo, y miré a mi alrededor. Traté de localizar a Ellie, pero no la vi. Había demasiadas personas entre la gradería desmontable y yo para ver si aún estaba allí.

Yo conservaba la vista de murciélago. No me gustaban las transmisiones, pero quería averiguar más cosas. La siguiente guerra de secesión. El futuro de nuestra galaxia. El horror de nuestro pasado.

Entraba y salía de las infinidades de otras personas. Pregunté a Negro Máximo si podía enseñarme algo divertido o agradable para variar.

El padre de esa mujer conocía a John F. Kennedy.

El tío bisabuelo de ese hombre era un político y contribuyó a poner fin a la ley seca local.

Un descendiente lejano de ese hombre será el decorador de interiores del primer transbordador, la estación espacial Lincoln. *En los bocetos escribirá mal el nombre de* Lincoln, *olvidando la segunda* L.

Su nieto descubrirá el gen causante de la estupidez y lo meterán en la cárcel por proponer que sea eliminado.

Su sobrina nieta dará a luz a un hombre llamado Nedrick el Santurrón, que iniciará la segunda guerra de Secesión, la cual dividirá a nuestro país en dos: los Nuevos Estados Unidos, donde Nedrick gobernará a través de sus co-

rreligionarios en cargos políticos y su arsenal de armas enviadas desde dudo-
sas milicias en todo el mundo para contribuir a destruir al país más poderoso
de la tierra, y los Viejos Estados Unidos, que contarán con el apoyo de gran
parte del mundo porque es terrible ver cómo un país potencialmente grande re-
trocede. Y porque la santurronería es un latazo.

¿Una segunda guerra de secesión? ¿Qué podía provocarla?

Mientras observaba a una persona tras otra y averiguaba más sobre los pormenores de mayor alcance, me sentí todopoderosa y al
mismo tiempo impotente. Sabía cosas. Quizás.

O quizás estaba chiflada. Un cincuenta por ciento de Darla. Un
murciélago. Dios.

Al margen de lo que sucediera, decidí allí mismo, en el abarrota-
do y húmedo aparcamiento, que utilizaría mis transmisiones para escribir la historia del futuro.

¿No te parece increíble, Glory?

La historia del futuro tenía un fin, al igual que nuestro comienzo. Lo vi hace dos noches, cuando contemplé Júpiter.

La historia del futuro empezó con una gigantesca explosión que hizo que *Little Boy*, la bomba atómica de cuatro mil cuatrocientos kilos que no era un horno microondas ni un teléfono móvil, pareciera un horno microondas o un teléfono móvil. Llámalo el Big Bang; llámalo como quieras. Todos estamos formados por polvo de estrellas y volveremos a ser polvo de estrellas, como un palíndromo cósmico.

Nacemos y morimos.

Todos somos potencialmente polvo de murciélago en tarros de conserva. Mezclados con cerveza, podríamos causar alucinaciones y el deseo de escribir sobre nosotros mismos con rotuladores.

La historia del futuro tendría que escribirse de forma distinta a lo que yo había escrito en mis otros cuadernos de dibujo. Sortearía las interferencias y destacaría los hechos importantes. Sería algo que las personas podrían leer en el futuro para averiguar lo que iba a suceder.

Antes de que pudiera salir de la cafetería, Stacy Cullen se me acercó y me abrazó como si fuéramos íntimas amigas. Stacy y yo habíamos estudiados juntas en primero de primaria. Ahora nos graduábamos juntas. Stacy tenía los ojos llenos de lágrimas.

—¿No te parece increíble, Glory?

Yo la miré. La transmisión que recibí de ella era terrorífica.

—Lo sé. Yo tampoco sé qué decir —dijo—. Todo es increíble.

—Sí —contesté—. Increíble.

—No nos daremos cuenta y nos habremos graduado en la universidad y estaremos casadas y todo eso.

—Sí —afirmé, sin apartar los ojos de su infinidad.

Stacy se detuvo, turbada.

—Lo siento —dijo.

No comprendí a qué venía eso. Yo lo sentía mucho más por ella.

Transmisión de Stacy: *Su hijo mayor morirá en el acto debido a una colisión frontal con un conductor borracho que perderá el conocimiento al volante en la autopista 422. Ocurrirá en verano. Sus dos hijos menores no se repondrán nunca del trauma. El más joven se mudará a Idaho y no regresará nunca a casa. El mediano le dará dos nietas, las cuales serán raptadas durante la segunda guerra de Secesión, una práctica habitual durante el reinado de Nedrick el Santurrón.*

—Lo siento mucho, Glory —repitió Stacy.

—No te preocupes —respondí, sobrecogida por la suerte que correrían sus nietas.

—No pretendía refregártelo por las narices.

Entonces comprendí que se refería a la universidad. Supongo que eso es lo normal, no lo que piensan durante una graduación personas que se beben a Dios. El futuro. La universidad. El matrimonio. La adultez.

—No me lo has refregado por las narices —repliqué. Entonces sentí los cincuenta mil dólares en mi bolsillo—. Quiero tomarme un año sabático para organizarme. Eso es todo.

Ella asintió, nerviosa, mirando hacia la puerta.

—De acuerdo. ¡Suerte! —Otro abrazo. Luego se marchó.

Me quedé mirando la multitud de graduados que devolvían su toga, pensando en la universidad, su futuro, el matrimonio, la adultez. Todos parecían felices de hallarse sobre la cinta transportadora de la vida. No sabían nada sobre la segunda guerra de Secesión.

Historia del futuro según Glory O'Brien

Me llamo Glory O'Brien y escribo este libro porque va a suceder algo. Algo nefasto.

Sé cosas. No puedo decirte cómo las he averiguado, pero sé cosas y voy a escribirlas aquí por si alguien desea averiguar lo que yo sé. Corre el año 2014. Las cosas nefastas sucederán dentro de unos cincuenta años aproximadamente.

Por lo que he podido ver, aunque no puedo verlo todo, todo empezará con la Ley de Salario Justo... o, más exactamente, con el resquicio legal que alguien hallará en esa ley para soslayarla.

La Ley de Salario Justo será una ley federal que exigirá por fin que los empleadores paguen a las mujeres el mismo salario que a los hombres por realizar las mismas tareas. Esa ley, o una ley análoga, ha estado en mente de muchos legisladores desde fines del siglo veinte, pero la situación de desigualdad en materia de salarios nunca llegó a resolverse.

El resquicio legal en la Ley de Salario Justo federal será muy simple.

¿Cómo pueden ingeniárselas los estados para no tener que pagar a las mujeres un salario justo?

Hacer que sea ilegal que las mujeres trabajen.

Genial.

Transcurrirá menos de un mes antes de que la primera legislatura estatal se aproveche del resquicio legal en la Ley de Salario Justo y promulgue la Ley de Protección Familiar.

Una semana más tarde, cuando el gobernador estampe su sello de aprobación, las diputadas y senadoras serán escoltadas fuera de sus despachos y no se les permitirá recurrir esa ley.

A partir de entonces, será ilegal que las mujeres trabajen en su estado. Ni siquiera como camareras. Ni siquiera como bailarinas de *lap dance*, chicas que bailan sobre las rodillas de los hombres. Ni siquiera como representantes de la firma de cosméticos Avon.

El gobernador lo considerará una victoria para las familias.

La mayoría de las personas no pueden asimilarlo

Ellie estaba sentada en mi coche. Yo no tenía ni idea de cómo se había montado en él, porque yo lo había cerrado. Aún parecía como si estuviera perdiendo el juicio, a juzgar por el hecho de que estaba sentada en mi coche en el asfixiante aparcamiento con las ventanillas subidas. Allí dentro debía de estar a cuarenta grados.

Abrí la puerta y me senté en el asiento del conductor.

—Hola.

—Quiero marcharme —dijo.

—Estoy viendo una guerra civil. Y otras cosas. Hoy he visto una guerra intergaláctica con torpedos de fotones. Era bastante guay.

—Yo veo cosas que no me gustan.

—¿Como qué?

—Personas desnudas.

—¿Personas desnudas?

Miré a Ellie y observé que se había puesto su vestido de verano favorito pero que había dejado los botones de la pechera desabrochados. Y no llevaba sujetador. Bien pensado, no sé si alguien en la comuna llevaba sujetador. Quizá los sujetadores también fueran unas bombas atómicas.

Bajé la vista y miré mi vestido de lino al estilo del Dust Bowl y mis calcetines blancos. Sabía que no podía competir con ella, pero nunca había querido competir. Me gustaba tener las piernas blancas. Había decidido evitar que se broncearan permaneciendo todo el verano en el cuarto oscuro para convertirme en Darla. No recordaba las piernas de Darla, pero había visto fotografías, y en ellas sus piernas también eran blancas. Tenía las rodillas huesudas.

Pero allí, el día de la graduación, sentada en el coche con Ellie, me di cuenta de que yo también tenía las rodillas huesudas.

Bien pensado, ninguna de las mujeres que veía en la televisión o en una revista o en un anuncio tenía las rodillas huesudas ni llevaba un vestido como los del Dust Bowl.

—¿Qué vamos a hacer? —preguntó Ellie—. No puedo pasarme la vida rehuyendo a la gente.

Yo sí podía, desde luego. Podía pasarme la vida rehuyendo a la gente.

—Tranquila. No nos pasará nada. Todo lo que sucede es por una razón.

—¿Nos estamos volviendo locas por una razón? ¿Qué coño estás diciendo? ¿Un gilipollas me ha pegado unas puñeteras ladillas por una razón? ¿Voy a cumplir dieciocho años y no tengo un diploma del instituto por una *razón*?

Yo metí la marcha atrás.

—De acuerdo, si no puedes tranquilizarte al menos cállate. O dime *enhorabuena* o algo apropiado al caso. O algo que no sea un disparate —dije—. Porque no estás loca. Yo también veo esas cosas, ¿de acuerdo? No eres nadie especial.

Ellie me miró dolida.

—¿No soy nadie especial?

—Yo no soy nadie especial. Tú no eres nadie especial. ¿Eres capaz de asimilarlo? —pregunté—. La mayoría de las personas no pueden asimilarlo.

—Mierda —exclamó Ellie.

Salí del aparcamiento haciendo marcha atrás, me dirigí hacia la salida del aparcamiento y nos quedamos atascadas en el estúpido tráfico posterior a la ceremonia, el cual se había intensificado mientras yo charlaba sobre tonterías con Stacy Cullen. Lamenté no haberme marchado con mi padre, que ya estaría en casa vestido con una camiseta tintada y un holgado pantalón corto de pijama, sentado en el sofá con su ordenador portátil.

—Enhorabuena —dijo Ellie por fin.

—Gracias. —Pensé que dentro de poco Ellie dejaría de ser mi amiga. En cómo había planeado alejarme de ella de alguna forma. En que ella ignoraba mi mayor secreto: convertirme en Darla.

—¿Cómo se te ocurrió semejante idea? —pregunté, señalando sus brazos—. ¿Libérate, ten el valor de hacerlo?

—No lo sé —respondió—. Me la dio el murciélago. El sábado por la noche, ¿te acuerdas?

Dejamos que el silencio se impusiera entre nosotras un minuto.

Al cabo de un rato, Ellie dijo:

—Deberíamos decírselo a alguien.

—Nadie nos creerá. —Puse el coche en estacionamiento y esperé a que el tráfico siguiera avanzando. Tomé mi cámara y saqué una fotografía de los brazos de Ellie. La titularía: *La consecuencia del murciélago*.

Cuando salí del tráfico y tomé por una pequeña carretera que nos llevaría a casa, Ellie se puso de nuevo a parlotear mientras yo componía un diagrama cronológico en mi mente. Si las nietas de Stacy Cullen serían sacrificadas en la segunda guerra de Secesión, deduje que sucedería hacia fines del siglo veintiuno, dependiendo de cuándo la gente tuviera hijos. Parecían muy jóvenes, como la mayoría de los padres en las transmisiones que recibía, como esas viejas fotos del Este donde las hijas eran vendidas de adolescentes a los hombres. Eso es lo que parecía.

Me aterrorizaba y, sin embargo, parecía un proyecto digno de documentarlo, aunque fuera una reacción delirante al murciélago. ¿Qué otra cosa tenía yo que hacer?

Antes de Negro Máximo, el futuro se me antojaba aburrido y no había mucho en que pensar. Después de Negro Máximo, era como contemplar un negativo, una pila de papel fotográfico, un bote lleno de emulsión, un pincel, unas cubetas que contenían productos químicos. Ahora había mucho que hacer.

Mucho que hacer.

No se me ocurrió ningún título

Cuando llegamos, Ellie se fue a su casa y le dije que nos veríamos más tarde en la fiesta de las estrellas. Mi padre estaba sentado en el sofá, con el ordenador sobre sus rodillas, y cuando subí a cambiarme me dedicó varios comentarios joviales para darme ánimo. Me miré en el espejo con mi vestido de lino por última vez antes de quitármelo. Saqué los cincuenta mil dólares del bolsillo y coloqué la tarjeta y el cheque sobre mi mesa de trabajo.

Miré el cheque.

Miré los números. Cinco, cero, cero, cero, cero. Saqué una fotografía del cheque, pero no se me ocurrió ningún título.

Era el regalo de Darla en el día de mi graduación.

En ese momento no pensé en lo obvio. No pensé en que habría preferido tenerla a ella que el dinero. No pensé que con este dinero podía comprarme un nuevo futuro o un camino que tuviera sentido para una orientadora del instituto.

En cualquier caso, Darla me había dejado mucho más que unos estúpidos cincuenta mil dólares. Me había dejado sus cuadernos de dibujo. Su cuarto oscuro. Sus cámaras. Sus rodillas. Su cabello. ¿Podría comprar con esos cincuenta mil dólares el medio de evitar seguir sus pasos? No tenía la menor idea. Porque seguía sin saber por qué Darla había decidido dar esos pasos.

Me enfundé unos viejos vaqueros y una camiseta y bajé para continuar leyendo *Por qué la gente toma fotografías*.

—Esta noche voy a la fiesta de las estrellas de Ellie, ¿de acuerdo? —dije.

—Muy bien —respondió mi padre. Luego me miró—. Mierda, Bizcochito. Debí preguntarte si querías que organizara una fiesta para tu graduación. Mierda. No pensé en ello.

—No tiene importancia. ¿A quién iba a invitar?

—¿Amigos? ¿Parientes?

—¿Para que viniera la tía Amy y me colocara de nuevo el rollo de la Virgen María? Menuda lata.

—Tienes razón —concedió mi padre—. Pero no es lógico que sea la madre de Ellie quien organice una fiesta para ti.

—No la ha organizado para *mí*. Se trata de una fiesta de las estrellas —expliqué—. En cualquier caso, hasta que me vaya bajaré al cuarto oscuro a imprimir unas copias. —Di media vuelta y me encaminé hacia la puerta de acceso al sótano.

Mi padre no trató de detenerme. No me preguntó qué clase de copias iba a imprimir. No comentó que aún no me había comprado el papel fotográfico. No dijo que no creía que yo fuera a imprimir unas copias. No dijo que no podía convertirme en Darla, por más que me esforzara. Por más que hiciera mía su misión de conseguir una copia que durara toda la vida.

Por más que me pusiera todos los días vestidos como los que aparecen en las fotos del Dust Bowl de Dorothea Lange. Por más que metiera la cabeza en el microondas y la convirtiera en Hiroshima.

Saqué el libro *Por qué la gente toma fotografías* y lo abrí por la página en que aparecía Bill, el hombre sin cabeza. Observé su tejido conjuntivo y sus huesos rotos. Estaban representados todos los colores que puedas imaginar. Diversos tonos de amarillo: células grasas, partículas de huesos, tendones, trozos de dientes. Naranjas y rojos y púrpuras intensos y azules. Un arcoíris de muerte. Todos los colores, pero a Bill le faltaba la cabeza. Sólo se veía el cuello y parte de la mandíbula. Todos los colores, pero Bill seguía siendo negro máximo. Nada. Cero. Ya no quedaba nada de Bill.

¿Era posible que yo deseara eso para mí? Me gustaban mis rodillas huesudas. Mi estúpida nariz irlandesa. ¿Por qué miraba esas cosas? ¿Por qué lo había hecho Darla?

Volví la página y vi cuatro fotos en blanco y negro de una muela. Una muela extraída —entera, alargada, con las raíces curvadas— sobre distintos fondos. El primer fondo era blanco, lo que hacía que la muela presentara varios tonos grises. El segundo consistía en un montón de guijarros, y la muela apenas era visible en ese caos, pero cuando reparabas en ella daba miedo. El tercer fondo consistía en tierra. Darla había construido un montículo de tierra de unos quince centímetros de alto y había depositado la muela sobre él como una ofrenda en un altar; el centro de atención era la muela, mientras que el montículo de tierra formaba una mancha borrosa que se desvanecía en la nada. El cuarto fondo era negro, y el acusado contraste entre la muela y el color negro hacía más evidente la textura de la muela. Ranuras y hendiduras y capas de esmalte que formaban una muela muerta. ¿Quién podía imaginarse que una muela tuviera una textura tan rica? ¿Tanta vida, aunque estuviera muerta?

Darla había dibujado una flecha señalando esa foto, la cuarta, y había escrito: *Negro Máximo y n.° 46.* Junto a ella había dibujado una cara ceñuda.

Luego había escrito: *Ahora n.° 46 y Bill pueden ir a criar malvas junto a mi madre.*

Estaba claro que a mi madre se le había ido la pinza.

Por eso había metido la cabeza en el horno hacía trece años en lugar de preparar unas galletas de copos de arroz con una forma de *N* perfecta para mi clase en la guardería. Por eso se había propuesto conseguir que las fotografías duraran más que ella.

Yo quería una respuesta. Tenía que haber una respuesta. *Ahora n.° 46 y Bill pueden ir a criar malvas junto a mi madre.*

Giré la página y vi otras tres fotos de una mujer desnuda que parecían formar parte de la misma sesión fotográfica que la primera. Esta vez la mujer conservaba la cabeza en su lugar.

Esta vez la cabeza era claramente visible.

Y era la cabeza de Jasmine Blue Heffner.

Lo más chocante era que la joven Jasmine Blue Heffner que aparecía en las fotos era idéntica a Ellie. Era como contemplar una foto de Ellie desnuda; una imagen que generaba veinte sombras impúdicas.

Todos estamos desnudos debajo de nuestra ropa.

¿Qué tiene ella que es tan especial?

Arrancando la carne
del hueso

El hecho de asistir a la fiesta de las estrellas esa noche adquirió una nueva dimensión cuando encontré esas fotografías. ¿Cómo podría volver a mirar a Jasmine Blue Heffner a la cara?

Yo quería leer todo el cuaderno en esos momentos —decir a Ellie que no podía ir a su fiesta y quedarme en el cuarto oscuro hasta terminarlo—, pero miré de nuevo las fotos de Jasmine Blue y cerré el cuaderno.

Si la pregunta de Darla era *Por qué la gente toma fotografías*, ¿qué tipo de respuesta era ésa? ¿O eran ese tipo de fotografías el motivo por el que Darla la había formulado?

Dije a la habitación vacía:

—Tomo fotografías porque a veces no encuentro las palabras adecuadas para decir lo que quiero decir.

No hubo respuesta, pero sentí una presencia junto a mí, como si alguien estuviera respirando a mi lado. Suena estúpido, pero sentí miedo. Quizá fuera Bill. Quizá fuera Darla. Vi que algo se movía..., algo translúcido.

Dejé de nuevo *Por qué la gente toma fotografías* detrás del armario y cerré el cuarto oscuro con llave. Subí los escalones de dos en dos y cuando llegué arriba cerré la puerta del sótano.

—¿Papá?

Mi padre levantó la vista. Transmisión de mi padre: *Un antepasado del siglo diecinueve, que era albañil, estaba subido en lo alto de un elevado edificio en la ciudad, sonriendo y admirando la vista.*

—¿Podemos hablar de una cosa? —inquirí.

Mi padre debió de percibir mi tono serio porque dejó su ordenador en la mesita de centro y se incorporó en el sofá.

—Claro. ¿De qué se trata? —preguntó.

—De Jasmine Blue —respondí—. Y del motivo por el que nunca hablas de ella.

Se produjo un tenso silencio.

Qué le vamos a hacer.

—Os conocías de tiempo atrás, ¿verdad? —añadí.

—Todos nos mudamos aquí al mismo tiempo..., técnicamente. Los cuatro. —Yo guardé silencio. Mi padre añadió—: Tu madre, yo, Jasmine y Ed.

—¿Y?

—Teníamos grandes ideas.

—¿Por ejemplo?

Mi padre suspiró y meneó la cabeza.

—Queríamos fundar un movimiento no consumista. Desmarcarnos del sistema. No tener ataduras de ningún tipo. Éramos jóvenes y estúpidos.

Yo no dije nada, pero no me pareció una idea estúpida de unos jóvenes, a menos que eso me convirtiera en una joven estúpida, lo cual no es descartable teniendo en cuenta mi reciente huida del sótano de mi propia casa salvando los escalones de dos en dos, por no mencionar mi falta de planes para el futuro.

—Los ochenta y los noventa estaban llenos de… cosas materiales —dijo mi padre—. Era una época materialista. Todo el mundo deseaba tener un flamante coche nuevo. Dinero de sobra. Trajes y corbatas. Todo el mundo era codicioso, ¿comprendes?

Yo asentí, aunque no veía que eso fuera muy distinto de ahora. Era lo que querían todos los que habían participado en la graduación. Éxito. Escrito con signos de dólar. \$ÉXITO\$.

—¿Y qué ocurrió? —pregunté.

—Jasmine empezó a reunir a su rebaño.

—¿Qué quieres decir?

—Invitó a otras personas a venir a vivir aquí. Personas que aceptaban todo cuanto ella decía —explicó mi padre.

—¿De modo que toda esa gente no estaba aquí desde el principio?

—No.

—¿Y cuando vinieron otras personas os dejaron de lado a mamá y a ti?

—No exactamente.

—¿Cuál es el problema? Es su casa. Pueden invitar a otra gente a vivir aquí, ¿no?

—Ha pasado mucho tiempo —dijo mi padre.

—¿Pretendes decirme que no te acuerdas? No te creo.

—No. Es… complicado.

—No sé. Entiendo lo que sentisteis cuando vuestros mejores amigos hicieron nuevas amistades. Debió de doleros.

—Sí. Eso fue lo que ocurrió —admitió mi padre.

—Ya. Nuevos amigos que se instalaron en la granja de Jasmine y fundaron la comuna sin vosotros, al otro lado de la calle. ¿Me equivoco?

Mi padre señaló la comuna.

—Esa… —dijo—. Esa casa no pertenece a Jasmine.

—Ah, ¿no? —pregunté—. ¿De quién es?

—Se la cedió tu madre —respondió mi padre—. Se la *dio*.

—¿Se la dio?

—Bueno, digamos que se la prestó.

—O sea ¿que no se la vendió? ¿Le dijo simplemente: «Oye, mira, si quieres puedes quedarte a vivir aquí»?

—Más o menos —contestó mi padre.

—Pero ella y mamá eran muy amigas, ¿no?

—Íntimas.

—Y luego… ¿dejaron de serlo?

Mi padre suspiró de nuevo.

—Mierda, Bizcochito. Es una historia muy larga.

—Quiero que me la cuentes —pedí.

—Son cosas de adultos. Ya sé que eres mayor de edad, pero sigues siendo mi niña —dijo mi padre—. No son el tipo de cosas que le cuentas a tu niña.

—Quizá sepa más de lo que imaginas. Así que cuéntame el resto o un día te morirás y yo me quedaré sin saber la verdad, y será una lástima.

Mi padre me miró fijamente.

—¿Qué hizo Jasmine? —le pregunté.

—Bueno… Hizo… algo… que…

—¿En serio? ¿No puedes decírmelo?

Mi padre soltó un resoplido.

—Jasmine trató de conquistarme y separarme de tu madre. Puso todo su empeño en ello.

De pronto torció el gesto. Como si hubiera comido marisco en mal estado.

—Yo metí la pata —prosiguió mi padre antes de que yo pudiera decir algo—. Darla tenía motivos sobrados para enfurecerse.

—¿Fue por eso que…?

—No.

—¿No tuvo nada que ver con eso?

—No.

—¿Así que ella y Jasmine se pelearon?

Me disgustaba insistir. Pero, al mismo tiempo, había encontrado unas fotos de Jasmine Blue Heffner desnuda en un cuaderno secreto en el cuarto oscuro de Darla y quería saber de dónde habían salido.

Mi padre guardó silencio y emitió señales que indicaban que la conversación había concluido.

Yo no quería cabrearlo y luego marcharme.

Tampoco quería que se sintiera triste.

Pero me sentía inexplicablemente furiosa debido a esas fotos.

Mi padre apoyó de nuevo su ordenador sobre las rodillas y empezó a teclear como si no estuviéramos manteniendo una conversación que me había puesto furiosa. La vieja Glory O'Brien que aún no se había graduado quizás habría preparado un pastelito de cerezas en el microondas, pero la Glory O'Brien del murciélago quería averiguar la verdad. Me quedé mirándolo, en jarras.

—¿Fue mamá quien tomó esas fotos de Jasmine? ¿Fue una de esas excentricidades de los noventa a las que te has referido? ¿Posar desnuda y esas cosas?

Mi pregunta tardó un minuto en recorrer la habitación e introducirse en los oídos de mi padre, pero cuando lo hizo, él sepultó la cara entre las manos. Durante un segundo pensé que estaba llorando, pero luego alzó la vista y me miró.

—De acuerdo —dijo—. Siéntate.

Yo obedecí. Mi padre cerró la tapa de su ordenador y cruzó las piernas al estilo oriental, pero hizo un gesto de dolor y las descruzó de nuevo.

—Jasmine me dio esas fotografías. Fui un idiota y no se lo dije a tu madre porque Jasmine era su mejor amiga. ¿Y qué mejor amiga haría una cosa semejante? Un día tu madre las encontró.

Yo lo miré perpleja.

—¿Las guardaste?

—Ya te he dicho que me porté como un idiota —respondió mi padre—. No me dedicaba a mirarlas. Las oculté en la parte posterior de mi estudio, debajo de un centenar de fotos que guardaba allí. Los pintores coleccionamos fotos y cosas que puedan servirnos como referencia. Un día tu madre se puso a hurgar en ese montón de fotos y…, sí, fue entonces cuando las cosas se agriaron.

Mi padre parecía consternado.

—¿Para ella, o para ti?

—Para todos —respondió—. Jasmine dijo que se quedaría en la comuna y no volvería a poner los pies aquí mientras Darla le permitiera seguir viviendo en el terreno. Se disculpó por las fotografías, pero tu madre no aceptó sus disculpas. Ni tampoco las mías.

—¿De modo que eso fue lo que lo provocó?

—No. Claro que no. —Mi padre lo dijo como si lo hubiera repetido tres millones de veces.

—Nunca hemos hablado de ello —dije.

Él asintió con gesto distraído.

—Siempre he querido saber… —Me detuve—. ¿Por qué no nos fuimos de aquí o la obligamos a ella a marcharse? ¿No había una solución mejor?

—No imaginamos que pudiera suceder —respondió mi padre—. Nadie pudo preverlo.

—No me refiero a *eso* —dije. *Eso*: Una palabra más apropiada para suicidio—. Me refiero a antes de eso. ¿No pudiste decir a Jasmine que se fuera y demostrar a mamá que lo de las fotos había sido una metedura de pata?

—Era más complicado.

—Ah.

—Esas cosas perduran —contestó mi padre—. Luego, cuando Darla murió, pude haber echado a Jasmine de aquí pero no lo hice debido a tu amistad con Ellie. ¿Cómo iba a arrebatarte a tu única amiga por la misma época en que habías perdido a tu madre?

—Mierda. —Lo dije porque mi padre había dicho mi *única amiga*. Lo dije porque ese hecho convertía dos secretos en un secreto más grande y espantoso.

—Ya.

—Debió de ser duro —comenté—. No dirigirle la palabra durante tantos años.

—No hablar con Jasmine es muy fácil. Desde que murió Darla, se comporta como si yo también hubiera muerto —explicó mi padre—. ¿Dónde coño están esas fotos que has visto? No las quiero en casa. No quiero que pienses en esta mierda.

—No digas palabrotas, papá.

—Lo digo en serio.

—Me alegro de que me lo hayas contado —dije. Lo miré y él sonrió con gesto apenado. Transmisión de mi padre: *Un día uno de sus antepasados abatió un ciervo gigantesco saltando sobre su lomo y estrangulándolo con la rama de un árbol joven.* Yo seguía sin ver un futuro para mí. No veía a nietos peleando o muriendo en la segunda guerra de Secesión. Sólo a un *Megaloceros giganteus*. Sólo una visión de alguien arrancando la carne del hueso de un gigantesco muslo.

Mi tren seguía avanzando por la vía férrea. Parecía que sus frenos funcionaban. Pero yo empezaba a comprender que el cuaderno titulado *Por qué la gente toma fotografías* constituía un punto de inflexión. Nunca había controlado mi tren. No estaba segura de quién lo controlaba. Dependía de los días. Lo controlaba Markus Glenn el día que me pidió que le tocara el pito. Ellie controlaba los días cuando éramos pequeñas y cambiaba las reglas del juego, y más adelante, de adolescentes, cuando me hizo beber los restos de un murciélago momificado. Lo controlaba mi padre renunciando a controlarlo. Recorrí los vagones de mercancía y de pasajeros. Me dirigí hacia la locomotora. Quería ver quién lo conducía. Pero en el fondo, ya sabía quién lo conducía.

Historia del futuro según Glory O'Brien

La Ley de Protección Familiar se propagará como piojos en una comuna de *hippies*. Nueve estados redactarán leyes similares y sus órganos legislativos las promulgarán. Se separarán oficiosamente del resto del país, que pensará que están chalados. Se autodenominarán los Nuevos Estados Unidos.

Se producirá un masivo aumento de solicitudes de subsidios para mujeres solteras, madres solteras y sus hijos. Un masivo aumento de mujeres e hijos sin techo. Un masivo aumento de ataques aleatorios, violentos y agresiones sexuales, contra mujeres e incluso chicas jóvenes.

Un funcionario del gobierno declarará: «¡Recuperaremos nuestro país!» (¿De quién? ¿De manos de las mujeres y los niños? ¿Acaso nos lo habían arrebatado cuando estábamos distraídos? No lo veo en esas transmisiones, pero lo dudo). Otro funcionario gubernamental declarará: «Concedimos a las mujeres doscientos años para que se reinventaran. Creo que han tenido tiempo suficiente para hacerlo».

Las mujeres empleadas en los medios de comunicación equipararán todo el movimiento con los tiempos de los cavernícolas. Algunas se sentirán confundidas sobre qué hacer o decir porque han apoyado sin pretenderlo al movimiento hasta el instante en que han sido despedidas sin ninguna consideración.

Posteriormente, un estado tendrá el atrevimiento de promulgar la Ley de Los Padres Cuentan negando la asistencia de la seguridad social a cualquier madre soltera o a sus hijos.

No he visto lo que sucederá después, pero tengo la impresión de que muchas personas morirán de hambre y otras muchas abandonarán su hogar para buscarse la vida en otro lugar.

Lo que sí he visto es el colapso de los servicios básicos. Las mujeres trabajan en muchos sectores. No creo que ninguno de los legisladores que promulgaron las leyes se parara a pensar en lo que podía ocurrir cuando abrieran ese resquicio legal.

O quizá lo sabían pero no les importaban las consecuencias.

¿Y si nos quedamos atascadas en esta situación?

Cincuenta mil dólares no podían hacer que yo retrocediera a una hora antes, cuando no sabía nada sobre los intentos de Jasmine Blue de arrebatarle mi padre a mi madre, y, en última instancia, a mí.

Cincuenta mil dólares no podían devolver a mi padre el deseo de pintar. No podían comprarle una máquina del tiempo donde pudiera quemar esas fotografías y decir a Jasmine Blue que lo dejara en paz antes de que mi madre se enterara de lo ocurrido.

No podían comprar a Ellie una nueva vida lejos de Rick, que ahora se dedicaba a fastidiarla por haber roto con él. Ellie me contó que éste había difundido rumores en la comuna.

No podían hacer que Ellie y yo retrocediéramos al sábado por la noche y evitar que nos bebiéramos el murciélago.

—¿Y si esto no termina nunca? —me había preguntado de regreso a casa después de la graduación—. ¿Y si nos quedamos atascadas para siempre en esta situación?

—Mierda —exclamé.

—Ya —contestó ella. Al cabo de un minuto añadió—: En serio, ¿y si nos quedamos atascadas en esta situación?

Su pregunta tenía para mí un significado más profundo de lo que ella imaginaba. «¿Y si nos quedamos atascadas en esta situación?» Era la pregunta que llevaba haciéndome desde hace tiempo sobre Ellie y yo.

Me dirigí hacia el prado comunal, donde el rebaño de borregos de Jasmine había dispuesto unas mesas con aperitivos y bebidas. Traté de localizar a Ellie pero aún no había llegado. En esos momentos, el cielo aparecía aún bastante iluminado en los primeros estadios del anochecer, y el único planeta que se veía era Júpiter. Me detuve y escuché el canto de los pájaros en sus nidos, disponiéndose a dormir. Era un sonido que había oído un centenar de veces, pero nunca había reparado en él. Infundía paz. Hizo que me sintiera más cómoda con todos mis secretos, y ahora, con los de mi padre.

No había un alma. Quizás estuvieran terminando de cenar. Quizás estuvieran sacando sus tambores y bongos de donde los tuvieran guardados. Quizás estuvieran sacándose fotos en pelotas para enviárselas al marido de otras mujeres, unas fotos como delgadas y ligeras bombas atómicas capaces de desintegrar a una familia en un nanosegundo.

Kapow.

—¡Hola! —Ellie se acercó a mí por detrás.

—Hola —respondí. Le pedí que se detuviera y escuchara—. ¿No te parece raro que los trinos de los pájaros cuando se disponen a dormir por la noche sean diferentes a los de la mañana?

—Pues…

—No, en serio —dije.

—Necesitas comer algo —respondió ella.

Nos acercamos a la mesa y llenamos nuestro plato con comida de la comuna. Yo elegí dos tipos de galletitas crujientes confeccionadas con algo que sabía a nueces y frutos del bosque, y fingí que me gustaba la mantequilla de almendras y apio, cuando en realidad la detestaba, pero Ellie me la quitó del plato y se la comió sin decir una palabra. Fue el gesto más amable que había tenido conmigo desde hacía varias semanas.

Nos encaminamos hacia una manta que Ellie había colocado en el suelo para nosotras. Reconozco que las ladillas me preocupaban, pero me senté sobre ella.

—Lamento lo de hoy —soltó—. Estaba muy nerviosa. Todo esto es tan…

—Raro —concluí la frase por ella.

—Exacto. Cuando llegué a casa me encontré con Rick. Sigue jurando que no me contagió esas… cosas.

—Ya.

—Dice que seguramente las he pillado del asiento de un retrete. Como si eso fuera posible.

—Es posible —repliqué, cabreada de que siguiéramos con el tema de las ladillas. Cabreada de que no habláramos de la historia del futuro *de todo*.

—Pero no probable —añadió Ellie.

—No.

—Hoy he vuelto a ver a personas desnudas. No he visto tu guerra o lo que sea. En todo caso, ningunas de las personas desnudas iba armada.

—Hummm. —No podía evitarlo. La idea de que Ellie viera a personas desnudas después de haber visto yo las fotos de Jasmine Blue me resultaba cómica. Cada vez que miraba a Ellie veía a Jasmine. Estaba de nuevo furiosa con ella, aunque las fotos no fueran de ella.

—He visto que mi madre tiene dos bisnietos. Me ha parecido guay.

—¿Has visto a los nietos? —pregunté.

—Bisnietos —me corrigió Ellie—. Supongo que deben de ser nietos míos. Dado que soy hija única.

—Sí —contesté—. Qué guay. Yo… no veo nietos en mi futuro.

En ese momento estuve a punto de revelarle mi secreto. Pero Ellie no me escuchaba.

—A propósito de Rick. No sé qué hacer —comentó.

—¿Qué puedes hacer?

—Vive aquí.

—¿Y?

—Y aún me gusta.

La miré de refilón.

—¿En serio?

—Estoy… acostumbrada a él. Ésa es probablemente la respuesta más precisa.

Seguimos sentadas en la manta observando a los habitantes de la comuna congregándose en el prado. Pensé en lo que debían de sentir al ser tan libres. Sin trabajar. Sin responsabilidades. Sin tener que pagar arrendamiento.

—¿Has recibido bonitos regalos por tu graduación?

—Sólo un cheque de mi padre. Ninguna fiesta ni nada por el estilo. ¿Qué necesidad teníamos de organizar una fiesta cuando me has invitado a la vuestra?

Más silencio. Seguimos observando a las personas de la comuna interactuando unas con otras. Hasta el padre de Ellie se había acercado a la mesa del bufé y estaba llenando su plato.

—¿Tuviste problemas por haber asistido a mi graduación? —pregunté a Ellie.

—Cuando regresé tuve que hacer el doble de trabajo —respondió—. Las gallinas son muy aburridas, te lo aseguro. «¡Deprisa, deprisa!» —dijo, acompañándolo con un ademán. *Deprisa, deprisa*—. Pero siempre están desnudas, lo cual ya es algo.

Las dos nos reímos.

—¿Viste muchas cosas en la graduación? Yo procuré alejarme de la gente.

—Sí —respondí—. Unas cosas disparatadas. Principalmente la guerra.

—¿Crees que es real?

Asentí con la cabeza.

—Veo a personas que viven en los árboles —dijo Ellie—. Eso es lo que vi. Y una cosa que no comprendí, pero todo estaba inundado y las personas utilizaban botes. Era el futuro, y los botes eran muy chulos. Hacía mucho calor, y no podían utilizar el aire acondicionado porque se habían quedado sin combustible.

—¿Tienes visiones *hippies*? —pregunté.

—Creo que sí.

—Yo tengo visiones de una guerra.

—Nos estamos volvieron locas —declaró Ellie.

—No nos estamos volviendo locas —repliqué—. Además, ¿qué significa estar loca?

—Ya.

—¿Cómo te has quitado lo que habías escrito con rotulador en los brazos? —pregunté.

—Con un jabón especial que utilizamos para la urticaria. —Ellie extendió los brazos para mostrármelos—. Pero aún sigue ahí. Tienes que mirar de cerca para verlo.

Me acerqué pero no pude ver nada en la casi oscuridad. Pero sabía lo que decía ese mensaje.

Libérate. Ten el valor de hacerlo.

—Tengo que alejarme un tiempo de aquí —dijo Ellie—. Quiero conocer a extraños y averiguar qué veo sobre ellos.

—Mañana podemos ir al centro comercial. Está lleno de extraños.

—Odio el centro comercial —contestó Ellie. Era un acto reflejo. Jasmine odiaba el centro comercial, de modo que Ellie también lo odiaba, aunque en secundaria yo solía ocultar sus productos consumistas de contrabando debajo de mi cama.

—No es necesario que compres nada —dije—. Créeme, es el lugar ideal. Verás a muchas personas de todo tipo.

El crepúsculo dio paso a la noche y aparecieron las estrellas, y Ellie y yo nos tumbamos en la manta y contemplamos el espectáculo. Jasmine Blue organizó su círculo de tambores y comprendí que yo tenía razón: no podía mirarla sin ver esas fotos de ella desnuda.

Mucho

—¿Cómo está Glory? —preguntó Jasmine mientras yo llenaba mi plato con más galletitas crujientes y queso. Siempre me llamaba por mi nombre en tercera persona en lugar de dirigirse a mí como un ser humano normal. Bien pensado, puede que eso tuviera más que ver con la misma razón por la que mi padre tampoco la llamaba por su nombre.

—Glory está perfectamente —respondí. La miré. *La tatarabuela de Jasmine formaba parte del Ferrocarril Subterráneo*. Una vez ayudó a una familia de cinco a escapar de noche y llegaron sanos y salvos a una estación cercana, pero a la mañana siguiente murieron ahorcados.*

—Me han dicho que hoy te has graduado del instituto —dijo Jasmine.

—Así es.

—Enhorabuena.

—Gracias —contesté. Observé las palabras en sus labios. Vi que estaba a punto de pronunciarlas, pero ella sabía que no debía hacerlo. *Tu madre se sentiría muy orgullosa de ti.*

—Supongo que irás a la universidad para hacer algo maravilloso, ¿no?

---

* Red clandestina organizada en el siglo diecinueve en Estados Unidos para ayudar a los esclavos afroamericanos a huir de las plantaciones del Sur hacia estados antiesclavistas o Canadá. *(N. de la T.)*

—Voy a tomarme un año sabático. Para pensar en lo que quiero hacer. De momento me dedico a hacer copias en el cuarto oscuro de Darla —expliqué.

—Ah —dijo Jasmine, tratando en vano de no mostrarse sorprendida—. Vaya. Qué interesante.

—Mucho —respondí.

De pronto, Jasmine Blue Heffner se rascó. Justo encima del hueso púbico. Ya sabes dónde digo. Se rascó al tiempo que se movía un poco, como si se sintiera incómoda, como si tuviera parásitos obligados celebrando su propia fiesta de las estrellas en sus partes íntimas.

Ese pequeño gesto de rascarse me indujo a mirar alrededor de la comuna preguntándome qué haría con ella si la recuperaba de nuevo. Me pertenecía por derecho propio. Esos friquis *hippies* tendrían que regresar al mundo real y buscar trabajo y vivir como el resto de personas que no tenían nada que ver con círculos de tambores y galletitas crujientes de nueces y frutos del bosque.

Miré a Jasmine Blue. Transmisión de Jasmine Blue Heffner: *Sus bisnietos formarán parte del ejército de los Nuevos Estados Unidos. Uno será un oficial de la División K, y el otro se quedará atrapado dentro de una casa en llamas durante una batalla y se fundirá como el queso vegano.*

La historia del futuro de Jasmine terminaba allí.

Sentí tristeza por Ellie, por perder a sus nietos de esa forma. Y me sentí furiosa con Jasmine…, por todo.

Jasmine me dijo algo, pero no lo oí debido al ruido de su bisnieto fundiéndose como queso vegano, de modo que no contesté y permanecí allí, en silencio, el tiempo suficiente para que Jasmine se sintiera profundamente incómoda. Quería que se sintiera como si estuviera dentro de un microondas. Quería que girara sobre la pequeña bandeja de cristal. Bajé la vista y la fijé allí —donde quizás habitaran los jupiterinos— y luego la miré a los ojos antes de dar media vuelta y echar a andar hacia la manta donde estaba sentada Ellie.

—¿Qué viste cuando miraste a mi madre? —me preguntó ella—. ¿Viste a mis nietos?

—Una cosa muy rara sobre tu retatarabuela, que formaba parte del Ferrocarril Subterráneo.

—Qué bien.

—Ya.

—Rick está aquí.

Me volví para verlo.

—Me pregunto si habrá traído a sus amigos de Júpiter.

Las dos nos echamos a reír. Ellie se rio de manera más estentórea y animada.

Miré para ver la reacción de Jasmine Blue a la presencia de Rick, pero ésta ni siquiera levantó la vista. Luego miré a mi alrededor, observando a una mujer tras otra, y comprobé que ninguna había reparado en Rick. Ni una sola. Era difícil de creer, teniendo en cuenta que Rick lucía una camiseta que dejaba al descubierto sus bronceados y musculosos brazos.

—Iré a averiguar lo que pueda averiguar —dije.

Transmisión de Rick: *El abuelo de Rick fue enviado a combatir en la guerra de Corea cuando tenía dieciocho años y acababa de salir del instituto. En cuanto pudo se enroló en la Marina para ir a matar a los comunistas y derrotar al mal. El padre de Rick fue educado por monjas. No eran buenas monjas. Hacían cosas al padre de Rick de las que Rick no se enteró nunca.*

—He oído decir que hoy te has graduado —comentó Rick.

—Sí. Ahora tengo un diploma que demuestra que soy muy lista —contesté.

—¿Ellie sigue cabreada conmigo?

—Hummm, seguramente lo estará siempre —respondí.

—Entonces ¿por qué te has acercado a hablar conmigo?

—Porque yo no soy Ellie. Y porque quería decirte que te alejes de ella.

—¿Y?

Lo miré fijamente. Transmisión del gilipollas de Rick: *El gilipollas de Rick tiene dos hijos, uno de los cuales vive en esta comuna. Tienen el pelo rizado y soriasis.*

No sabía qué más decir, por lo que respondí:

—Y, nada más. Aléjate de ella.

Di media vuelta y me fui. Rick dijo algo a mi espalda, pero no sé qué fue. Observé a los niños a mi alrededor. Era difícil ver si alguno tenía soriasis debido a la oscuridad.

Me tumbé en la manta junto a Ellie y contemplé de nuevo las estrellas. Vimos dos estrellas fugaces consecutivas, y ambas contuvimos el aliento y preguntamos: «¿Has visto eso?»

Ignoro lo que vio Ellie, pero en esos meteoros yo lo vi todo: desde el comienzo hasta el fin del mundo.

Nos formamos. Brillamos. Nos quemamos. *Kapow.*

Historia del futuro según Glory O'Brien

La Ley de Los Padres Cuentan será ensalzada por legisladores que piensan que Estados Unidos se ha convertido en un Estado benefactor para mujeres que no tienen la precaución de utilizar métodos anticonceptivos, aunque esos mismos legisladores han declarado estar en contra de los métodos anticonceptivos.

Todo indica que los Nuevos Estados Unidos serán gobernados por unos indeseables desquiciados. Genial.

La Ley de Los Padres Cuentan pondrá asimismo fin a la pensión para los hijos tal como la conocemos; ningún padre que ya no viva con su esposa y sus hijos tendrá que pasar a ésta una pensión para los niños. «Si esas madres no sabían que los padres cuentan antes de abandonar a esos hombres, ¿por qué deberían éstos darles dinero?»

Otro tanto para el equipo de indeseables desquiciados que al parecer no prestan atención a las estadísticas sobre qué-cónyuge-suele-abandonar-al-otro.

En la letra pequeña, la Ley de Los Padres Cuentan permitirá que un marido abandone a su esposa si cree que ésta no satisface sus necesidades personales o domésticas. Pero si una mujer abandona a su marido, sean cuales sean las circunstancias, habrá violado la Ley de Los Padres Cuentan.

La clave para las mujeres será: Si te marchas, procura que no te pillen.

Tan inteligente...

Observé a Ellie mirar a todas las personas que formaban el círculo de tambores. A veces abría los ojos como platos, como si viera la misma carnicería que veía yo. O quizá viera otras cosas. El rastro de ADN de Rick. El rastro de la comuna de su madre. Quizá descubriera por fin que todo su mundo me pertenecía a mí.

Rick estaba junto al círculo de tambores. Al verlo recordé que debía tratar de localizar a un niño con el pelo rizado y problemas cutáneos. Vi a dos niños jugando junto a la hoguera. El asunto no me concernía hasta el punto de acercarme para ver qué aspecto tenían. De modo que fui en busca del señor Heffner, el padre de Ellie. Supuse que si lo observaba durante un buen rato tendría algo interesante que contarme.

Transmisión de Ed Heffner: *Su padre era calvo e impotente. Su abuelo había sido calvo e impotente. Ed no podía evitar ser calvo, pero se negaba a ser impotente. De modo que adquiría unas pastillas, que ocultaba en la comuna, que le ayudaban a no ser impotente. Las últimas palabras que le dirigió su padre fueron: «Me pregunto si alguna vez conseguirás un trabajo y madurarás». Ed no sentía gran estima por su padre. Ni por Jasmine. Quería a Ellie más que a nada en el mundo.*

—Enhorabuena —dijo.

—Gracias.

—La graduación es un acontecimiento muy importante —continuó—. No pensé que te veríamos aquí esta noche.

—No me apetecía pasar una semana en la costa con mis compañeros. —Me habían invitado a ir con ellos. Yo no había respondido a la invitación—. Espero que Ellie se gradúe pronto —respondí—. Fue muy triste que no estuviera hoy a mi lado, dado que empezamos a ir al colegio juntas.

—Yo también espero que se gradúe pronto —replicó el señor Heffner.

Lo miré. ¿Qué tenía yo que perder?

—Ya, pero quien manda es Jasmine. ¿Qué puedes hacer al respecto? Él arrugó el ceño.

—Es imposible que viva frente a vosotros y no vea lo que sucede —dije.

—No creas todo lo que te cuente tu padre.

—¿De veras? Porque me cuenta muchas cosas.

Ed Heffner se mostraba más incómodo por momentos.

—Bueno, no es tan sencillo como crees.

Se produjo un punto muerto en la conversación. Él me miró. Yo lo miré a él. Él sonrió. Yo sonreí. Él arrugó el ceño. Yo arrugué el ceño. Luego dije algo sin pensar:

—¿Cómo era mi madre? —La pregunta permaneció flotando entre nosotros. Era una pregunta incómoda—. ¿Era simpática? ¿Divertida? ¿Estaba deprimida? —No sé por qué pregunté eso a Ed Heffner, pero el caso es que lo hice.

—Tu madre era muy divertida. Tan inteligente… —contestó—. Tan inteligente…

—Ya.

De nuevo se hizo el silencio; no sabíamos qué decir.

Él se miró las manos.

—Ninguno de nosotros pudimos prever lo que sucedió. De haberlo hecho, creo que habríamos tratado de ayudarla. Tu madre empezó a trabajar en el centro comercial. A partir de entonces apenas la veíamos. A nosotros… no nos pareció bien que tuviera un trabajo.

—¿Tenía un trabajo?

Ed parecía sentirse de nuevo incómodo.

—Quizá deberías preguntárselo a tu padre.

—Ya.

—A veces se interponen ciertas cosas entre amigos.

—Es verdad —dije, mirando a Ellie—. Sé que se interpuso algo entre Jasmine y mi madre.

—Sí. Jasmine pensaba que un trabajo remunerado era contrario a la filosofía por la que nos habíamos mudado aquí.

—No fue debido al trabajo de mi madre.

Ed me miró. Transmisión de Ed Heffner: *Su hija, Ellie, se casará joven y a él le disgustará.*

—Entonces ¿por qué fue? —preguntó Ed.

—Quizá deberías preguntárselo a Jasmine —contesté—. Seguro que ella lo sabe.

—Bueno, tu madre era una buena persona. Puedes estar segura de ello. Nos abandonó demasiado pronto.

—Gracias. Eres la única persona que me ha hablado de ella de esta forma. —Sentí que se me saltaban las lágrimas y que se me formaba un nudo en la garganta.

Ed se volvió, y antes de alejarse alargó la mano y me apretó el hombro.

—Habla con tu padre. Él te lo contará.

—Lo haré —respondí, volviéndome también.

Acto seguido, Ed Heffner se encaminó hacia su casa, abrió la puerta, entró y no volvió a salir en toda la noche. Lo que me había dicho hizo que sintiera deseos de regresar al cuarto oscuro, por más que lo rondara un fantasma. ¿Por qué iba a temer a mi propia madre?

Encontré a Ellie charlando con un grupo de chicos y chicas más jóvenes que ella y le indiqué que se acercara.

—Me voy a casa —dije—. Ha sido un día muy largo.

—Te perderás el pastel que sacaremos a medianoche.

—Lo sé. Seguro que estará riquísimo. Pero estoy cansada.

—¿Nos vemos mañana? —preguntó Ellie. Luego murmuró—: ¿En el centro comercial?

Yo respondí con un gesto de aprobación y me marché de la comuna.

Me dirigí al cuarto oscuro, cogí *Por qué la gente toma fotografías*, lo abrí por la página de Bill y miré su foto. Luego pasé varias páginas hasta ver un autorretrato de Darla. Era una polaroid: reflejos cian, debajo de los cuales se apreciaba un tono de piel cálido, brillante y sin contraste que le confería un aspecto bidimensional y etéreo. Miraba a la cámara como si estuviera un poco ida. Me miraba como si quisiera ofrecerme una pista. *Yo no estaba en mis cabales. No fue por nada en particular. Fue por todo. Porque no estaba en mis cabales.*

Era una conjetura mía. No recibía ninguna transmisión de las fotografías como las recibía de personas de carne y hueso. Pero mi instinto me decía que seguramente tenía razón. Mi madre no estaba en sus cabales. Yo no sabía si eso significaba que me había librado de correr la misma suerte que ella. ¿Estaba yo inmunizada a «no estar en mis cabales» o me sobrevendría de repente, como le había ocurrido a ella?

Miré mi imagen reflejada en la superficie negra del salpicadero detrás del lavabo. Miré de nuevo a Bill, el hombre sin cabeza. Luego pasé a la página donde estaba Darla.

Transmisión de la difunta Darla: S/R

Transmisión de Bill: S/R

Transmisión de mí misma: S/R

Mirar a Bill me producía terror. Hay mucha gente rara que se dedica a mirar este tipo de fotografías en Internet. Yo no quería ser como ellas. Me parecía una falta de respeto. Quizá Bill tuviera una familia. Seguro que tenía una familia. Todos venimos de algún sitio, ¿no?

Cerré *Por qué la gente toma fotografías* y abrí otro cuaderno de dibujo de Darla. Ninguno de los otros tenía título. Sólo números. Abrí el número tres de cinco.

En la primera fotografía aparecía yo. De bebé. No la había visto nunca. Contuve el aliento y espiré el aire despacio. Temía volver la página, pero lo hice.

Las diez páginas siguientes contenían también fotos de mí cuando era un bebé. En algunas aparecía con mi padre, quien presentaba un aspecto muy joven y francamente espantoso. Había una en que aparecía yo dormida sobre el pecho de Darla. Ella tenía los ojos cerrados y sonreía. Miré la foto durante largo rato, pero no sabía lo que sentía. Era una mezcla de emociones.

En la última página de la serie, Darla había escrito un poema.

Quizá compre una reluciente bola de cristal
y la deposite ante ti.
Le daré vueltas entre nosotras, y te mostraré
que el futuro es circular.

Después de romperla, te mostraré
que es tan vasto como los fragmentos
que nos rodean, tan afilado como los dientes
en las trampas vivas.

Te sobresaltaré con advertencias,
te regañaré con expectativas,
y no te encerraré en mis límites,
sino en los nuestros.

Células hechas de células hechas de células,
constituimos una cadena de punto apretado,
una labor de retazos de relaciones
que no se deshilacha.

Compraré una bolsa de cuero
y te la dejaré, con delicadeza,
llena del polvo de mis restos.
Luego te contaré una historia.

Debajo del poema había firmado con su nombre. Darla O'Brien. Leí el poema unas cinco veces. Me gustaba, pero era morboso. Además, si mi madre pensaba que había hecho algo con delicadeza, estaba muy equivocada.

Después del poema había unas fotografías que yo ya conocía —una colección de rocas—, las mismas aburridas rocas que colgaban en la pared del cuarto de estar, arriba. La fascinación que mi madre sentía por las rocas era chocante. Había llenado por lo menos cuarenta páginas del cuaderno número tres con copias de pequeño tamaño y dibujos de las rocas junto con una reiterada pregunta.

¿Qué hace que una roca sea una roca?

Llevé el cuaderno número tres a mi habitación y lo examiné tumbada en la cama. Algunas páginas contenían información sobre productos químicos, pero en general contenían más fotos de mí y de mi padre (mi favorita se titulaba *Roy después de un día en el jardín*), y más rocas. Las rocas hicieron que me sintiera cansada. Me quedé dormida con una pregunta en la mente.

¿Qué hace que una roca sea una roca?

Lo bloqueada que me sentía

Me desperté poco antes del amanecer. No hice caso de la tórtola que fingía que su canto era un lamento.

Antes de bajar, miré mi cheque de cincuenta mil dólares. Podía tomar un avión a Borneo ese día. Podía comprar un coche espectacular o unas rodillas menos huesudas. Podía comprar un horno eléctrico para aprender a hacer *brownies* y lenguado asado.

No tenía ni idea de lo que haría con ese dinero, de modo que me senté y escribí una nueva entrada en *Historia del futuro*.

Reconstruí todo lo que había visto. Tracé un diagrama cronológico. Pero no escribí lo que pensaba. No escribí que quería recuperar la comuna porque pensaba que Jasmine Blue no merecía tenerla. No escribí sobre Ellie y lo bloqueada que me sentía.

Supuse que este libro sería un testimonio de que estaba perdiendo la razón. Por si... ya sabes. *¿Qué hace que una roca sea una roca?* De modo que escribí todas las visiones que había tenido y los detalles sobre las leyes, los ejércitos y los exilios. No escribí que cuando miraba a mi padre no veía mi futuro. Sólo un pasado. Traté de ignorar ese hecho, aunque cuanto más lo ignoraba más consciente era de él.

Cuando terminé, bajé al cuarto oscuro, dejé de nuevo el cuaderno de dibujo de Darla número tres en el estante y saqué *Por qué la gente toma fotografías* de detrás del armario. Lo abrí por la página en que lo había dejado la noche anterior.

Bill me sigue. Sigue sin tener una cabeza.

Me dice algo importante. Me dice que soy tres personas.

Soy yo. Nadie especial. Soy la esposa de Roy. Soy la madre de Gloria.

Es como hacer juegos malabares.

A veces tengo ganas de dejar caer las pelotas y descansar los brazos. A veces quiero quedarme en este cuarto oscuro y dormir hasta averiguar cuál de esas personas soy en realidad.

No sé lo que estoy haciendo.

No sé lo que estoy haciendo.

Debajo de esto había un dibujo. Era difícil descifrar qué era, pero después de mirarlo detenidamente lo comprendí. Era un dibujo que había hecho Darla de sí misma, pero con la cabeza de Bill. O, para ser más precisos, sin cabeza. Cuando la imagen adquirió nitidez y vi qué era, desvié la vista. Cerré el libro.

Abrí mi cuaderno de dibujo y respondí a Darla, omitiendo el morboso dibujo. *Yo tampoco sé lo que estoy haciendo. No hago juegos malabares con nada y al mismo tiempo con todo. Veo el futuro de todo el mundo, excepto el mío. Veo el pasado de todo el mundo, pero no veo el tuyo.*

Luego rompí a llorar. Era quizá la primera vez que lloraba intensa y profundamente desde que era una niña. Tenía tantas lágrimas acumuladas, que me pilló por sorpresa. ¿Cómo era posible que se acumularan tantas lágrimas dentro de una persona?

Recuerdo haber llorado en el colegio, cuando mis compañeros o mis profesores me preguntaban por mi madre. No lo hacían de mala fe. Eran personas normales con vidas normales. *¿Podemos llamar a tu madre para que venga a recogerte? ¿Puede preparar tu madre algún postre para la fiesta de fin de curso? ¿Por qué no se ofrece tu madre para traernos algo como hace la mía? ¿Viaja mucho?*

Es difícil entenderlo. Lo sé. Yo estaba rodeada de personas que nunca habían tenido que pensar en cosas morbosas como las cosas con las que yo vivía todos los días. No se daban cuenta de la suerte que tenían.

Lloré por el cuarto oscuro. Deseé que hubiera alguien junto a mí —cualquiera— que me diera un pañuelo o me dijera unas palabras para consolarme. Sin embargo, yo misma me había asegurado de que no hubiera nadie. Eso hizo que mi llanto se intensificara.

Oí a Ed Heffner en mi mente. Le oí decirme lo inteligente que era Darla.

Yo anhelaba creerlo.

Pero si era tan inteligente, ¿cómo es que no se había dado cuenta? ¿Cómo es que no se había dado cuenta de lo que estaba haciendo? ¿Cómo es que no había pensado que un día yo iría a cuarto de secundaria y trataría de hacer amistad con la chica nueva en mi clase y ésta me diría: «Qué suerte tienes de no tener una madre, Glory, la mía es insoportable»?

¿Cómo es que no había pensado que cuando ella desapareciera, Jasmine Blue Heffner se convertiría en el único modelo femenino a imitar en nuestra calle?

¿Cómo es que no había pensado en lo solo que se sentiría mi padre sin ella?

Miré de nuevo a Bill y comprendí la verdad. Las personas no se suicidan para perjudicar a otros. Lo hacen para librarse del dolor.

Lloré durante un rato increíblemente largo. Toda una eternidad.

———

Cuando la eternidad terminó, cogí unos pañuelos desechables y me sequé las lágrimas. No quería que mi padre viera que estaba trastornada.

Es la historia de mi vida. No sé por qué. Quizá porque sabía que él tenía también muchas lágrimas acumuladas. Si los dos nos poníamos a llorar, quizá no acabaríamos nunca.

Vi que tenía la camiseta húmeda por haber llorado, de modo que subí a cambiarme y miré de nuevo el cheque. Se me ocurrió coger el coche e ir al banco. Eso contribuiría a aclararme las ideas. Quizá decidiría qué hacer con los cincuenta mil dólares. Así que fui al banco.

Al ver la cuantiosa cantidad, los empleados que me atendieron llamaron al director. Por lo visto, un cheque de cincuenta mil dólares pone nerviosos a los directores de bancos. Todos revoloteaban de un lado a otro detrás de la ventanilla a prueba de balas, como gallinas encerradas en un pequeño gallinero con una rata hambrienta. Por fin, el cajón de acero inoxidable se abrió con el dinero y el cajero me preguntó si necesitaba algo más.

¿Qué más podía necesitar?

Cuando terminé en el banco, me fui a dar una vuelta en coche. Me paseé por los barrios. Me acerqué hasta la vieja piscina municipal, que está llena de hierbajos y en desuso. Me acerqué hasta mi instituto y di unas vueltas por el aparcamiento, que estaba vacío. De pronto vi un objeto perfecto para fotografiar: el entarimado desierto de la graduación. Aún no lo habían desmontado. Había tan sólo trescientas cincuenta sillas vacías y un escenario vacío con escalones vacíos y una gradería vacía y un cielo vacío y un estrado vacío.

Día uno después de la graduación del instituto: éste era el primer día del resto de mi vida. Y estaba vacío, como todo lo demás. La zona diez estaba en el brillante reflejo que emitía la carpa blanca del escenario. La zona cero estaba en las sombras debajo de la rampa provisional para las sillas de los discapacitados.

Medí la luz de la escena y tomé un rollo de fotografías. Las titulé en mi mente: *Sillas vacías. Escenario vacío. Nadie habla en el estrado.* Cuando terminé, me acerqué a la gradería donde se había situado Ellie el día anterior. Busqué sus grafitos.

Libérate. Ten el valor de hacerlo. ¿QUIÉN ES EL MURCIÉLAGO PETRI-FICADO? Eso estaba escrito con mayúsculas. *¿QUIÉN ES EL MURCIÉ-LAGO PETRIFICADO?* Me senté en el asiento de hormigón, húmedo debido al rocío, y me pregunté: «¿Quién es el murciélago petrificado?» Luego saqué un rotulador negro de mi bolsa y contesté a la pregunta. Escribí: *Yo Soy el Murciélago Petrificado.* Lo escribí diez veces, de diez formas distintas. Tomé unas fotos de todas ellas y me fui a casa.

Cuando miré mis negativos después de revelarlos y colgarlos para que se secaran, vi cada ángulo como un punto de vista. En eso consiste una fotografía, ¿no? En un punto de vista. Si sacas una foto de un vaso desde arriba, parecerá más bien vacío. Si la sacas desde abajo, parecerá medio lleno. Un ejemplo un tanto manido, pero ya me entiendes. Todo lo que vemos se basa en el lugar en el que nos situamos cuando lo vemos.

Puede que mi madre se volviera loca. Puede que no. Puede que fuera verdad que Bill, el hombre sin cabeza, la seguía. Puede que Bill existiera. Y puede que no. Puede que existiera sólo para ella, como un mensaje de otro lugar. De *allí*. De *allí abajo*. O de *allí arriba*. Puede que todo dependa de tu punto de vista.

Historia del futuro según Glory O'Brien

Los orígenes de Nedrick el Santurrón serán poco convencionales. No será hijo de padres ricos. No será un político. Ni siquiera irá a la universidad. Será un electricista, y más bien mediocre. Sus amigos lo llamarán Ned.

La segunda guerra de Secesión se iniciará al cabo de un año, pero Nedrick fundará su K-Duty Club con la intención de entablar una guerra. Reunirá a sus amigos en su bar local después de la hora de cerrar y recorrerán setenta kilómetros para atravesar la frontera y entrar en los Viejos Estados Unidos. Raptarán a muchachas jóvenes.

Algunas noches raptarán hasta diez. Otras quizás encuentren sólo a una o dos. No harán distingos en materia de raza. Pondrán el mismo afán en raptar a una joven blanca que a una joven negra, aunque prefieren jóvenes adolescentes porque son más fáciles de vender. No sé a quién las venderán. Sólo veo que regresarán a casa con los bolsillos llenos de dinero.

A Nedrick el Santurrón le complacerá hablar de la Ley de Protección Familiar y de la Ley de Los Padres Cuentan. Gracias a esa ley, él mismo se librará de pagar a su exesposa la pensión alimenticia para los hijos de cuarenta y cinco mil dólares que tenía que pagarle en diez años. Será un magnífico orador, con un ego tan descomunal que no se recatará en declarar que es el hombre más inteligente del mundo. Se llamará a sí mismo Nedrick el Santurrón.

No se percatará de que es el indeseable desquiciado más grande del mundo.

A Ellie le importaban una mierda los clorofluorocarbonos

—¿Vamos al centro comercial o no? —preguntó Ellie.

Mi padre le había abierto la puerta y la había conducido al sótano, pero en cuanto oí que se abría la puerta escondí *Por qué la gente toma fotografías* y salí del cuarto oscuro porque no quería que Ellie entrara en él. No quería que viera nada de lo que había allí. Mis fotos. Las fotos de Darla. Las fotos de Jasmine Blue, su madre, desnuda. La conduje escaleras arriba y entramos en la sala de estar.

Vi que Ellie observaba a mi padre y comprendí que veía su infinidad y me pregunté si veía algún futuro. Yo quería que mi padre tuviera un futuro. Quería tener un futuro *yo misma*. Confiaba en que Ellie fuera sincera conmigo, aunque yo no lo había sido con ella. Quería saber si mis nietos formarían parte del aparato. Quería saber si raptarían a mis nietas. Quería saberlo todo..., suponiendo que hubiera algo. Estaba tan cansada del vacío.

Nos montamos en el coche.

—¿Qué viste cuando miraste a mi padre? —le pregunté.

Ellie se encogió de hombros.

—Algo acerca de sus pies. Que tiene los pies de su madre.

Yo quería preguntarle sobre el futuro de mi padre. Si tendría nietos. Si tendría bisnietos. Pero no dije nada y nos fuimos hacia el centro comercial.

—¿Podemos detenernos en una cafetería? —pregunto Ellie.

Me detuve ante un Dunkin' Donuts y me coloqué en la cola. Ellie pidió un café de nombre complicado. Yo pedí una botella de agua.

—Acerca de esa guerra —dijo mientras esperábamos—. Afectará a nuestros nietos. Pero ¿qué es lo que van a hacer? No lo entiendo. ¿Raptar a chicas? ¿Para qué?

—Supongo que para lo que suelen raptar a chicas en las guerras. He visto que las venderán.

—¿Para que se prostituyan? —inquirió Ellie—. No me parece lógico.

Nos acercamos a la ventanilla y pagué yo porque sabía que Ellie no llevaba dinero. Ella sorbió su café mientras circulábamos por la serpenteante carretera de acceso al centro comercial.

—Si venden a todas las chicas, ¿quién quedará para procrear a nuevas personas? —preguntó.

—Buena pregunta —respondí—. Lo llaman el K-Duty. No se dedicarán sólo a raptar a chicas. Algunos perseguirán y matarán a personas. Lo llaman «el aparato».

—Es espeluznante —observó Ellie.

—Ya —admití—. La mera idea de otra guerra de secesión es espeluznante.

—No lo entiendo —dijo Ellie—. ¿Cómo vamos a enfrentarnos de nuevo en este tema? La esclavitud ya no existe.

—Lo ignoro —contesté—. Creo que tiene que ver con la política.

No sé por qué no le conté a Ellie algunas de las cosas que sabía. Me guardaba los datos para incluirlos en el libro, porque a veces la gente no quiere oír ese tipo de cosas. Ellie no creía que las mujeres tuviésemos más derechos que reivindicar. De modo que si yo le hablaba sobre la Ley de Los Padres Cuentan y esas cosas, seguramente pensaría que me lo estaba inventando.

Nos quedamos unos minutos sentadas en el coche en el aparcamiento con el aire acondicionado puesto porque a Ellie le importaban una mierda los clorofluorocarbonos, al menos cuando no estaba presente Jasmine Blue. Un chico con edad de estudiar en la universidad aparcó en el espacio junto a nosotras. Ambas lo miramos y él nos miró a nosotras.

Transmisión del estudiante universitario en el aparcamiento del centro comercial: *Su descendiente lejano será un pastor evangélico en el siglo veintisiete. Sus programas televisivos serán vistos por diez mil millones de personas al día. Su organización benéfica recaudará más de cincuenta billones de dólares en nombre del cristianismo. Él acabará en la cárcel por robar varios miles de millones de dólares de ese dinero para costearse su adicción a los coches deportivos. Cuando estalle la tercera guerra Intergaláctica le practicarán la eutanasia porque habrá cumplido cincuenta años. Hallarán sus cuatrocientos coches deportivos en un gigantesco cobertizo en la Tierra, en el oeste de Kentucky.*

El siglo veintisiete. Caray. Y más guerras.

—¿Qué has visto? —pregunté a Ellie.

—Su abuelo insistía en utilizar el mismo tenedor y servilletero en cada comida. Viajaba con el tenedor y el servilletero. Ni siquiera hacían juego. Pero él insistía en eso, de modo que comía con el mismo tenedor y enrollaba su servilleta en el mismo servilletero hasta el día en que murió.

—Caray.

—¿Y tú?

Le conté lo que había visto sobre el chalado descendiente del estudiante universitario en el siglo veintisiete.

—Me pregunto por qué vemos unas versiones tan distintas —comentó Ellie.

—No lo sé —respondí, sabiendo que era como lo que había observado antes en el cuarto oscuro. Todo dependía de dónde te hallaras.

Nos bajamos del coche envueltas por el húmedo ambiente de Pensilvania. Mientras atravesábamos el aparcamiento, Ellie me preguntó:

—¿Qué estabas haciendo hoy en el sótano?

—Un trabajo en el cuarto oscuro.

—Ah. No sabía que fueras aficionada a eso.

—Tengo un proyecto que quiero llevar a cabo este verano. Nada importante. Siempre he querido hacer copias.

—Qué guay. Me imagino que tu padre estará encantado.

Yo me encogí de hombros.

—No sé qué piensa al respecto. Yo me parezco a ella.

Ellie asintió mientras entrábamos en la puerta giratoria del centro comercial.

—Es verdad. He visto fotos.

Oh, Ellie. Y tú te pareces a tu madre.

Cuando entramos en la zona de restaurantes, Ellie declaró que iba a pedir la comida más procesada y repugnante que pudiera encontrar, lo cual no sería difícil.

—¿Crees realmente que Rick me ha contagiado esos… jupiterinos?

Yo pregunté, al mismo tiempo:

—¿Viste algo en el futuro de mi padre cuando lo observaste antes de que nos fuéramos?

Ambas nos miramos y rompimos a reír. No sé por qué me reí. Estaba en un centro comercial con Ellie, que era tan egocéntrica que sólo quería hablar de sus ladillas.

—Sí —dije, respondiendo a su pregunta.

—No —dijo ella, respondiendo a la mía.

Nos sentamos en un reservado en un restaurante de comida rápida y lo convertimos en nuestra base. Estaba situado en el centro de la zona de restaurantes, donde veíamos a numerosas personas a la hora del almuerzo, que no tardaría en llegar. Ellie pidió unas especialidades mexicanas calentadas al microondas que servían en Señor Burrito, a cual más repugnante. Yo ya comía bastantes precocinados cada día, y además no tenía hambre. Crucé la mirada con una mujer que aparentaba unos cuarenta años. Había depositado unas bolsas de compras en las sillas vacías junto a ella.

Transmisión de la mujer con las bolsas de compras: *Su nieta formará parte de un grupo rebelde que volará la estación de ferrocarril más importante en los Nuevos Estados Unidos. Irá a la cárcel por ello, y cuando salga la enviarán al Campo n.º 32.*

Yo deseaba fingir que estaba tan loca como Darla cuando veía esas cosas. Habría preferido meter la cabeza en el horno y negar a mi familia todo futuro si eso era lo que iba a suceder.

—Se diría que has visto un fantasma —dijo Ellie, regresando con su bandeja de comida repugnante y una bandeja de nachos para mí.

«Y así es. He visto morir al fantasma de todo lo bueno que existe en el mundo.»

—Las raptan para convertirlas en criadoras de seres humanos —dije—. En campos destinados a la reproducción humana.

Ellie probó un bocado de su enchilada de queso y se abanicó la boca. Luego exclamó:

—Mierda.

La Compañía Hurón descubrirá a los exiliados

Era simplemente la hora del almuerzo de un martes en el centro comercial. Éramos simplemente dos chicas pueblerinas comiendo nachos vestidas con chanclas y pantalones cortos. Las mujeres mayores que nosotras ya estaban bronceadas. Algunas llevaban un bebé en su cochecito. Algunas de las mujeres que llevaban un bebé en su cochecito eran jóvenes. Tan jóvenes como nosotras. Algunas tenían novios que lucían tatuajes y gorras de béisbol. Algunas tenían novios vestidos con trajes de ejecutivo. Todos parecían ningunearse unos a otros.

Aquella zona de restaurantes constituía una gigantesca competición.

La gente trazaba límites.

El ambiente allí era como en todas partes: alienante. Autocomplaciente. Desolador. Comprendí por qué iba a estallar una segunda guerra de secesión; no eran meras imaginaciones mías por haberme bebido los restos del murciélago.

Transmisión del papá del bebé tatuado y con una gorra de béisbol: *Su abuelo salió vivo de un combate en Vietnam en el que murieron veintiún soldados de su pelotón. Cuando regresó, comprobó que su esposa había tenido un hijo con otro hombre, de modo que se fue en autostop a Crescent City, California, donde descubrió las gigantescas secoyas y pensó que eran las criaturas más bellas del planeta. Incluso más bellas que su esposa, que había teni-*

do un hijo con otro mientras él combatía en Vietnam. De modo que se quedó allí. Escribió una carta a su esposa, en la que le decía: «Gracias».

—¿Ves a esa chica que está allí? —preguntó Ellie—. Sus antepasados eran indios lenapes. Tallaban puntas de flechas y cazaban a unos veinte kilómetros de aquí. Su retatarabuela era una tejedora muy habilidosa que murió de tuberculosis.

Miré a mi alrededor. La zona de restaurantes empezaba a llenarse. Era una mezcla de empleados del establecimiento, personas que habían ido de compras, adictos al centro comercial y ancianos que se pasaban el día sentados en los bancos mirando a la gente. Recibí transmisiones de algunos, pero nada sobre la guerra.

De pronto apareció un anciano en una silla de ruedas.

Transmisión del anciano en la silla de ruedas, que luce una sonrisa de oreja a oreja y una gorra de béisbol que pone USS *Pledge*: *Su padre era un gran conversador y él nunca conseguía meter baza. Así que asumió el papel de niño callado. Cuando su padre murió, él pudo mantener por fin conversaciones normales y demostrar su ingenio. A la sazón tenía sesenta y un años. Lamenta haber tardado tanto en poder hacerlo. Por lo demás, su tataranieto le hará daño a mi familia durante la segunda guerra de Secesión. Es algo relacionado con un fuego y un túnel.*

Me miraba de un modo que parecía que pudiera ver también la infinidad. O quizás era porque yo lo miraba fijamente. En cualquier caso, su tataranieto haría daño a los O'Brien. Y hay un túnel.

—¿Ves túneles en alguna parte? —pregunté a Ellie.

—¿Túneles? —respondió ella, sin dejar de mirar al niño al que le estaba haciendo una lectura—. No. Veo hospitales o algo parecido. Aunque no he puesto nunca los pies en un hospital.

Se refería a los campos. Parecían hospitales.

—¿De modo que no ves túneles?

—No.

Algo me dijo que debía averiguar más detalles sobre los túneles, de modo que miré de nuevo al anciano que lucía una gorra del USS *Pledge*. Otra transmisión: *Los túneles estarán llenos de humo y no habrá escapatoria. Antes del humo, los túneles facilitarán un éxodo…, un éxodo encabezado por las mujeres que viven en los árboles.*

Parpadeé. Había visto visiones de mujeres en los árboles. ¿Por qué vivían las mujeres en los árboles?

Otra transmisión: *Su tataranieto tendrá una camioneta de color rojo vivo. Con una pegatina en el parachoques que dice* MI OTRO JUGUETE TIENE TETAS. *Lucirá un uniforme que tendrá la letra* K *rodeada por un círculo amarillo. Raptará a chicas del otro lado de la frontera pese a las patrullas fronterizas. Al cabo de un tiempo le promoverán a director de la Compañía Hurón. La Compañía Hurón se dedicará a descubrir el paradero de los exiliados.*

Ese tipo me daba repelús. No sólo el tataranieto que aún no había nacido, sino el tipo de la silla de ruedas. Era como si lo hubieran enviado para meterme miedo. ¿Por qué no veía algo banal? ¿Por ejemplo un pintoresco viaje a sus antepasados alemanes ataviados con los típicos pantalones de cuero? ¿Un breve salto atrás a su vida a bordo del USS *Pledge*? ¿Una cita con una chica mona que lleva uno de esos vestidos de los cincuenta con la falda acampanada?

—¿Estás bien? —preguntó Ellie.

Me volví, colocándome de espaldas al anciano de la silla de ruedas.

—Sí.

—No es verdad —afirmó ella.

—Ese tipo me da repelús —respondí—. Nada más.

—Yo sólo recibo transmisiones aburridas —comentó Ellie, señalando al encargado de mediana edad de la pizzería donde servían unos *calzoni* espectaculares—. ¿Ves a ese tipo? Su padre era fontanero en Newark, Nueva Jersey. Era conocido por su habilidad para desatascar retretes. —Ellie puso los ojos en blanco—. Tengo un jodido superpoder y lo único que veo son historias de fontaneros y servilleteros. Genial.

—Paremos un minuto —propuse.

Ellie me miró.

—¿Seguro que estás bien? ¿Qué diablos mira ese tío? —preguntó, mirando sobre mi hombro.

—¿Sigue mirando hacia aquí?

—Sí.

—Mierda.

—¿Quién es? —inquirió Ellie.

—No tengo ni idea. Pero su tataranieto le hará daño a mi familia y hará muchas putadas a la gente.

—¡No fastidies! —exclamó Ellie—. Quizá deberíamos matarlo ahora mismo.

—Ya está hecho. Si quisiéramos matar a alguien, deberíamos matar al hijo o al nieto.

—Joder, Glory, no hablaba en serio.

—Voy a pedir un *calzone*—dije, levantándome. En lugar de alejarme del anciano de la silla de ruedas, me dirigí hacia él y le rodeé para entrar en la pizzería. Él se volvió y me siguió.

—¿La conozco? —preguntó.

—No —respondí—. No lo creo.

—Tiene un aire que me resulta familiar —insistió él.

—Hummm. Bueno, quizá me parezco a alguien que conoce.

—Lo siento —dijo él, asumiendo de nuevo su jovial sonrisa—. Debo de haberla confundido con otra persona.

Estaba claro que era tan sólo un anciano que no veía bien.

Mientras hacía cola para pedir mi *calzone*, comprendí con toda claridad que el tataranieto de ese anciano no podía lastimar a mi familia si no existía un futuro más allá de Glory O'Brien, si Glory O'Brien no vivía el tiempo suficiente para tener hijos.

Eso me produjo una sensación liberadora, como si pudiera sacudirme de encima a Darla y a Bill y todos los otros giros del destino que me acechaban. Podía tener un futuro. Quizás un hijo… o dos. Quizás una carrera o una afición o algo que no fuera tan pueril y vacuo como el día uno después de la graduación.

Sonreí. Pero de pronto me entró pánico. ¿Qué broma cruel era constatar que cualquier familia que yo creara viviría en ese infierno? Un infierno donde raptaban a muchachas jóvenes para obligarlas a procrear. Donde los chicos tenían que combatir en guerras en las que no querían participar.

Miré alrededor de la zona de restaurantes. Vi a los papás de bebés. Vi a las mujeres que lucían bronceados artificiales y elegantes peinados. Vi a una niña pequeña que iba maquillada almorzando con su madre. Vi que el tercer botón de la camisa de Ellie estaba desabrochado, mostrando el principio del canalillo.

Cogí mi *calzone*, arrojé un billete de diez dólares al dueño y salí huyendo de allí.

Se nota en el pelo

—No entiendo por qué tuvimos que marcharnos deprisa y corriendo —dijo Ellie—. No ocurrió nada.

—Me entró un ataque de pánico. O lo que sea —respondí mientras circulábamos por la 422—. No podía respirar.

—Hay pastillas para esas cosas —soltó Ellie.

—¿Qué quieres decir con eso?

—Podías haberte quedado para que diéramos una vuelta por el centro comercial. Es el único día que he podido escaparme. Yo quería que durara más de una puñetera hora.

Yo titulaba ese tipo de conversaciones *Todo se refiere a Ellie*. Era un programa televisivo que veía en mi cabeza y tenía risas de fondo. *Es el único día que he podido escaparme.* [Insertar risas de fondo.] *Quería que durara más de una puñetera hora.* [Insertar risas de fondo.] Si Ellie Heffner hubiera sufrido ataques de pánico, el mundo se habría detenido para ella. Pero como se trataba de mí, tenía que aguantarme porque era *el único día que ella había podido escaparse.*

En el restaurante del centro comercial, Ellie había tratado de disuadirme con resoplidos y exclamaciones y muecas, pero yo había cogido mis cosas y había bajado en la escalera mecánica, lo cual sólo había servido para agravar la situación. Cuando llegué abajo no sólo no podía respirar, sino que estaba mareada y tenía ganas de vomitar.

De repente la puerta del ascensor a mi derecha se abrió y salió el tipo de la silla de ruedas con la gorra USS *Pledge*, y mi ataque de pánico adquirió proporciones gigantescas.

La mera idea de un futuro —unida a la idea de que algún día procrearía— casi hizo que perdiera el conocimiento. Yo sabía que no podía contárselo a Ellie. Pensaría que me comportaba como una melindrosa o una idiota o que reaccionaba de forma exagerada a algo que a la mayoría de la gente le parece normal.

Para mí, vivir el suficiente tiempo para tener un hijo nunca había estado garantizado.

Para mí, traer un hijo a un mundo que estaba a punto de desmoronarse era un error.

¿Era eso lo que había sentido Darla? ¿Que traer un hijo al mundo que veía —el mundo de *Por qué la gente toma fotografías*— era un error?

Eso fue lo que sentí cuando el anciano de la silla de ruedas salió del ascensor. De modo que salí a la carrera por la puerta principal del establecimiento. Luego me subí en el coche con Ellie y enfilé por la 422 hacia casa.

Qué le vamos a hacer.

—Ya que te has calmado, ¿por qué no vamos a otro sitio? —preguntó Ellie.

Me detuve en el aparcamiento de McDonald's.

—No me he calmado —contesté—. Los ataques de pánico son serios. No se trata simplemente de *calmarme*.

—Lo siento.

Suspiré.

—Si quieres, podemos ir a otro sitio. Pero necesito alejarme un rato de la gente.

—¿De mí también? —preguntó Ellie.

—Sí. —Las cosas empezaban a estallar en mi cabeza. Necesitaba alejarme de la gente. Necesitaba alejarme de todo.

—Bueno, déjame de nuevo en el centro comercial y vete a dar una vuelta.

[Insertar risas de fondo.]

No sé por qué me enfurecí con Ellie de repente. En realidad, no creo que fuera de repente. Creo que había empezado hacía rato y yo me había estado conteniendo. Y en esos momentos sentí que la rabia me desbordaba.

—Rick tiene dos hijos.

—¿A qué diablos te refieres? —preguntó Ellie.

—Echa un vistazo por allí.

—¿Por dónde?

—Por la comuna de tu madre —respondí—. Viven allí. Al menos, uno de ellos.

Ellie me miró como si la hubiera abofeteado, que era justamente lo que yo había hecho. Es muy peligroso saber cosas. El murciélago era un compañero muy peligroso.

—Rick sólo tiene diecinueve años. Estás mintiendo.

Yo no dije nada.

—¿Cómo lo sabes? ¿Lo has visto? ¿En quién?

—En Rick. Anoche. En la fiesta.

Sentí que Ellie me miraba con rabia, pero no dijo nada.

—Creo que se ha acostado con otras mujeres en la comuna. —Me abstuve de añadir «quizás incluso con tu madre», pero no era necesario. Ellie acabaría dándose cuenta.

—Es mentira.

—Tú misma lo viste con la madre de Rachel.

Ellie estaba furiosa. La furia emanaba de ella como vapor caliente.

—Estas tonterías no son reales, Glory. Deja de pensar que son reales —dijo. Cuando giré y regresamos al aparcamiento del centro comercial se produjo un silencio dentro del coche. Al cabo de un rato Ellie continuó—: Lo que te pasa es que tienes envidia.

—Envidia ¿de qué?

—De que yo me acostara con alguien antes que tú.

—Eso es una estupidez.

—Estás cabreada porque no te lo dije —insistió Ellie—. Pero no te lo dije porque sabía que no eras lo bastante madura para comprenderlo.

—Tú qué sabes si soy madura o no.

—Sé que nunca has tenido novio. Me consta. No sabes nada de nada.

—No necesito un novio para saber cosas, Ellie.

—Quieres que Rick y yo rompamos porque estás celosa.

Detuve el coche frente a la entrada del centro comercial.

—Anda, sal.

—Reconócelo.

Me giré para mirarla.

—Reconoce que tienes celos.

—No tengo celos. No tengo nada. Te he dicho lo que vi. Rick tiene dos hijos. Es lo único que sé. Puede que sea mentira. Puede que todo esto sea mentira, ¿vale? Nos estamos volviendo locas. Nos bebimos un jodido murciélago. ¡Yo qué sé! Te he dicho lo que vi.

Ellie tenía una pierna fuera del coche cuando dije esto y se volvió para replicar, pero pisé el acelerador para que se bajara de una puñetera vez y cerrara la puerta.

Mientras me dirigía hacia la salida del centro comercial rompí a llorar de nuevo. Era un mal día para mí y no me convenía llorar. Me sentía como una idiota por dejar que Ellie participara de mi vida esa semana. Era mi semana de libertad.

Estuve un rato dando vueltas en el coche, tratando de que mis lágrimas volvieran dentro de mi cuerpo, que era donde debían estar. Por fin llegué a donde quería ir: la sede principal de la biblioteca.

Me acerqué a una bibliotecaria y le pedí que me indicara la sección de guerra.

—Busco túneles —dije—. ¿Durante qué guerras construyeron túneles?

La mujer se encogió de hombros.

—Estoy segura de que los construyen en todas las guerras.

—¿Los había en la guerra de Secesión? —pregunté.

La bibliotecaria miró en su ordenador y me entregó una hoja impresa sobre los túneles en Vicksburg, Misisipi, durante la guerra de Secesión. Luego me condujo hacia las estanterías y me dio otros dos libros. Uno sobre la guerra de Corea y otro sobre la guerra de Vietnam, que hablaban sobre túneles. A continuación me entregó un DVD de *La gran escapada* y me envió al mostrador de entrada.

Después de rellenar la ficha de préstamo de los libros y el DVD, me senté en un rincón apartado de la biblioteca y me puse a leer. Los túneles daban miedo. Eran terroríficos. Se hundían, podían ser tapiados por ambos lados dejando atrapada a la gente que había dentro. También podían prenderles fuego.

Debido a mi propensión a la ansiedad y a leves ataques de claustrofobia, los túneles hacían que me entraran ganas de orinarme encima. Confié en que mis descendientes no heredaran mis temores irracionales.

Al cabo de dos horas, mi ataque de pánico había remitido y recibí un mensaje en mi teléfono móvil del móvil de pago de Ellie, que estaba aún en el centro comercial, para decirme que fuera a recogerla y la llevara a su siguiente destino. [Insertar risas de fondo.] Fui a recogerla al centro comercial y ella no me dijo nada sobre Rick. No se disculpó conmigo por haberme acusado de estar celosa o insinuar que yo era una estúpida.

Dijo:

—Lamento haberte dicho que te calmaras. Sé que no puedes hacer nada al respecto.

—Gracias.

—¿Quieres que vayamos a cenar a algún sitio?

—No. Tengo que volver a casa. No he parado desde la graduación y tengo cosas que hacer.

—¿Compramos comida para llevar en un chino? —propuso Ellie.

—No, gracias —respondí.

El silencio no me incomodaba. No me ponía nerviosa. No tenía nada que decir.

—Ya sé quién es su hijo —dijo Ellie al cabo de un rato—. Me refiero al de Rick —añadió, mirando por la ventanilla—. El pelo lo delata.

—Ya.

—El crío tiene casi dos años. Lo que significa que Rick lleva un tiempo montándoselo con esas tías.

—Ya.

—El día que me largue de ese lugar será el día más feliz de mi vida —declaró.

—Siento habértelo dicho, pero pensé que deberías saberlo. Aunque probablemente no fue la mejor forma de hacerlo.

—Yo siento haberte dicho esas cosas. No ha sido una semana maravillosa.

—No me digas.

Otro silencio tenso.

—¿Seguirás dirigiéndome la palabra después de esto? —[Insertar risas de fondo.]

—No lo sé.

—No podremos soportar esas visiones que nos envía el murciélago sin apoyarnos una en la otra —dijo ella.

—He pasado por muchas cosas sin tu ayuda —repliqué.

—¿Qué quieres decir?

—Exactamente lo que he dicho.

—¿Qué cosas? ¿Has tenido un novio y no me lo has contado?

Puse los ojos en blanco.

—¿Por qué tienes que reducirlo todo a tener un novio? ¡Joder! Estás obsesionada. De acuerdo. Sigue acostándote con Rick. Cásate con él. No me importa. Pero no me pidas que te compre más tratamientos contra las ladillas, ¿vale?

—No sé por lo que has pasado —dijo Ellie—. Era una pregunta. No es necesario que te pongas así.

—¿No sabes por lo que he pasado?

Otro silencio tenso.

—Bueno, ¿vas a decírmelo o no? —preguntó Ellie.

—Olvídalo —respondí.

—¿Te refieres a tu madre y a… la forma en que se suicidó?

—Olvídalo —repetí.

—Nunca te he hablado de ese tema porque pensé que lo habías superado —dijo Ellie.

Guardé silencio durante los dos últimos kilómetros hasta llegar a casa.

De haber abierto la boca, habría salido de ella un dragón que habría abrasado a Ellie dentro de mi coche, reduciéndola a un montón de cenizas estúpidas, egoístas y obsesionadas con los chicos.

Historia del futuro según Glory O'Brien

La segunda guerra de Secesión comenzará con una bomba. Será una bomba muy potente. Empiezo a pensar que lo que me ocurrió fue para que supiera estas cosas e hiciera algo al respecto. Pero ¿qué puede hacer una chica de diecisiete años? Ni siquiera puedo votar.

Por lo que he visto, la explosión, en el capitolio de un estado, matará a siete senadores estatales y a numerosos funcionarios del capitolio. Los medios se lanzarán como locos a difundir la noticia, lo cual está bien porque antes de la bomba habían dejado de informar sobre la desaparición de muchachas jóvenes de los estados fronterizos de los Nuevos Estados Unidos.

Pero la bomba lo cambiará todo, porque Nedrick el Santurrón hablará por la radio y declarará la guerra.

No puede decirse que nadie lo viera venir. Nueve estados ya se habrán separado para convertirse en países extraños. Diez estados ya habrán obligado a las mujeres a que dejen de trabajar. Pero nadie sabrá que los Nuevos Estados Unidos van a entrar en guerra. Nadie sabrá que los Nuevos Estados Unidos tienen un ejército.

Nedrick dirá: «Todos pensabais que éramos unos estúpidos catetos. Creo que deberíais reconsiderar esa opinión».

El presidente convocará a la Guardia Nacional. Tardará un mes en caer en la cuenta de que necesita contar con otros apoyos aparte de la Guardia Nacional.

¿Tiene sentido lo que digo?

Después de dejar a Ellie en la comuna, conduje hasta el restaurante chino más cercano y compré la comida más picante que tenían, porque cuando Ellie lo mencionó decidí llevarle a mi padre un rollo de primavera y un salteado tailandés, las especialidades de ese restaurante que más le gustaban.

Mientras me dirigía hacia allí traté de borrar de mi mente lo que había dicho Ellie, pero no era fácil.

«Pensé que lo habías superado.»

A veces las personas son muy estúpidas.

Cuando llegué a casa, mi padre había desertado, de modo que me senté a la mesa de la cocina y cené sola frente al lugar donde un día había estado el horno. Ahora era un espacio vacío. Lo contemplé porque sabía que aún quedaban partículas de mi madre allí.

Miré el espacio en el que había estado el horno y pensé: «De alguna forma crearé a un descendiente. Y ese descendiente se quedará atrapado en un túnel poco antes de que concluya la segunda guerra de Secesión.»

Estaba cabreada por no haber hablado con el hombre del USS *Pledge* cuando vi mi futuro en él. Tenía muchas preguntas, y él quizá tuviera las respuestas. Quizá más visiones de un bebé o algo por el estilo. Cualquier cosa.

Sonreí, aunque los bebés nunca me han gustado. El primer bebé que sostuve en brazos fue la hija de mi tía Amy cuando tenía menos de un mes, y lo único que hizo mi tía Amy durante todo el rato fue gritarme que tenía que sostener la cabeza de la niña en alto, como si su preciado Dios hubiera creado a una criatura tan frágil que si yo no sostenía su cabeza en alto continuamente ésta se partiría como una rama seca.

Observé la alacena de la cocina que había sustituido al horno preguntándome cómo sabría un pan o una tarta o un pollo asado o cualquiera de esas cosas que se cocinan en un horno. Cosas que no supieran a radiaciones. Cosas crujientes y doradas. Cosas que se «hinchan» y «deshinchan». Si iba a vivir más de dieciocho años, quería probar esas cosas.

Abrí el mensaje de mi galleta de la suerte. *Todo sirve para avanzar.* Ah.

Todo sirve para avanzar.

Miré el espacio donde había estado el horno. Decidí informar a mi padre que pensaba utilizar parte de mis cincuenta mil dólares en comprar un horno nuevo —eléctrico— para aprender a ser un humano normal. Ya iba siendo hora de que me convirtiera en un ser humano normal, ¿no?

«Como si la vida después del murciélago pudiera ser normal. Como si sabiendo lo que sé sobre el presente y el futuro las cosas pudieran volver a ser normales.»

Después de cenar regresé al cuarto oscuro y comprobé que mis negativos ya estaban secos. Saqué *Por qué la gente toma fotografías* de detrás del armario donde lo había dejado. Donde lo había dejado Darla. Quería quedarme allí toda la noche y leer todo el libro ahora que tenía tiempo.

Lo abrí por la página siguiente y vi unas viejas imágenes pornográficas que ocupaban dos páginas. Nada demasiado escandaloso. Fotos de calendario. Modelos en bikini en la playa, luego modelos en bikini en la playa sin el sujetador. Luego modelos que antes llevaban un bikini en la playa mostrando las marcas del bronceado. Darla había escrito pies de foto debajo de cada una.

Todas.
Valéis.

Más.

Que.

Esto.

En la página siguiente había dos fotografías bastante impúdicas de Jasmine Blue Heffner. Tenía las piernas abiertas. Me sentí... turbada. No sólo por contemplar las partes íntimas de Jasmine Blue Heffner, sino porque sabía que ella había dado esas fotos a mi padre. Y porque sabía que Darla las había encontrado. Yo sabía que eso debió de causarle un disgusto tremendo. Volví la página y vi una foto de gran tamaño de un bote de crema antiarrugas. Debajo de ella, Darla había escrito:

«Tú también eres una pornógrafa, para que lo sepas.»

En la página siguiente había un autorretrato. Darla aparecía tal como era y muy hermosa. Sus ojos parecían haber visto un fantasma. Debajo había escrito:

«Tengo arrugas. No me atormentan. No soy nadie especial, ¿y qué si tengo arrugas? Un día seré alguien que no es nadie especial y estaré muerta. ¿Tiene sentido lo que digo?»

Miré el último párrafo durante largo rato y deseé tener a Darla y sus arrugas en lugar de a una Darla Muerta. La Darla viva daba la impresión de ser una persona divertida. Sincera. Que no temía decir lo que la mayoría de la gente teme decir. La Darla viva probablemente tenía un gusto excelente en materia de música. Puede que tuviera arrugas, pero me habría mostrado el cuarto oscuro y habría hecho que me sintiera allí en mi elemento en lugar de sentirme como una intrusa.

Saqué tres cubetas y preparé el baño para las copias. Al agitarlo el líquido emitía un sonido que me calmaba mientras mezclaba el revelador, el baño de paro y el fijador para las cubetas. Observé los preparativos. Era muy sencillo.

Ni microchips ni megabytes ni silicona ni software. Tan sólo productos químicos y agua. Tan sólo plata sobre papel. Tan sólo luz y oscuridad.

Inspeccioné mis negativos secos, los corté en tiras y los coloqué por orden sobre la encimera. Encendí la luz ámbar y le di al interruptor de la luz principal para que la habitación quedara a oscuras. Todo estaba en silencio, en la habitación y en mi cabeza. Todo estaba en silencio. Tomé un cristal y un pedazo del viejo papel fotográfico de Darla de 20 × 25 centímetros e hice tres copias de contacto de mis negativos. *Muy sencillo. La luz incide sobre el papel, a través del negativo, creando una pequeña fotografía.* Luego introduje el papel en el revelador y agité la cubeta de un lado a otro hasta que la imagen se formó. Cuando terminé y las copias de contacto estaban en la secadora, comprendí el valor terapéutico del cuarto oscuro de Darla.

Pensé de nuevo en lo que había dicho Ellie. ¿Cómo podía pensar nadie que yo lo había superado? Pensé en los trece años que había vivido mientras nadie me hablaba del tema. Pensé en que siempre había pensado que la gente tenía un problema con la muerte. Había leído artículos. Es cierto. Las personas tienen un problema con la muerte. Pero lo peor es el problema que tienen posteriormente. No saben qué decir. Siguen llevando una vida normal. Siguen teniendo hornos.

Quería hablar con mi padre, pero estaba enfadada con él. Por una lista de cosas demasiado larga para sacarla ahora a colación.

Quería hablar con Ellie, pero también estaba enfadada con ella.

¿Por qué no me habían ayudado ninguno de los dos? ¿Por qué no me lo habían preguntado? ¿Acaso no era evidente? ¿Tan difícil era deducir lo que sentía Glory O'Brien? ¿O me había afanado tanto en ocultarlo todo que ellos habían hecho justamente lo que yo quería que hiciesen…, por más que necesitaba que hiciesen todo lo contrario?

Ellie no tenía la obligación de cerciorarse de que yo estaba bien.

Mi padre debió haber abordado el tema al menos una vez.

Encendí la luz principal y abrí algunos de los cuadernos de dibujo de Darla que no eran secretos ni estaban ocultos detrás de la secadora de copias. Eran maravillosos. Tantas enigmáticas imágenes de la vida… Tantos pies de fotos ingeniosos… Tantas indicaciones de que tiempo atrás había sido feliz... Todo estaba allí. No estaba loca. No estaba dispuesta a quitarse de en medio. Pero de repente me fijé en una foto. En ella aparecíamos mi padre y yo. Darla había escrito: *Cuando estoy con ellos me siento atrapada dentro de un globo de látex. Es como observar a un padre maravilloso y a su adorable hija caminando por el otro lado de la calle.*

Yo conocía esa sensación.

Sabía lo que una sentía al estar dentro de un globo de látex. Era asfixiante. Sin embargo, esta conexión no me hizo llorar. Me hizo comprender un poco. Hizo que me preguntara qué podía hacer para salir del globo.

Entonces, cuando me volví hacia la puerta, vi algo que me llamó la atención.

La muela.

Mi madre la había colgado del techo sobre la puerta, como una morbosa ramita de muérdago. Parecía relucir, reflejándose en mí a través de Darla.

Había un pequeño mensaje de una galleta de la suerte adherido a ella. Me subí en el taburete y extendí mis temblorosas manos para leerlo. Decía: *No vivir tu vida es como suicidarte, sólo que lleva más tiempo.*

LIBRO TERCERO

El camino a ninguna parte

El tren es tuyo. No tienes que ir a ninguna parte si no quieres. No tienes que recoger a pasajeros ni mercancías. Puedes hacer el viaje sola. A veces habrá túneles. A veces lucirá un sol abrasador. Depende de adónde te dirijas.

Mierda, Bizcochito

Mi padre parecía asustado de lo que iba a decirle. No se lo reprochaba. Yo hablaba atropelladamente y debí de decir «Darla» seis veces. No era justo. Pero yo quería saber.

Procuré hablar más despacio.

—¿Por qué dijo Darla que era una pornógrafa? —pregunté.

—Mierda, Bizcochito. ¿Por qué lees esas cosas?

—Las escribió para que yo las leyera. Las escribió para mí. Pero no me contó los detalles. Así que me los tienes que contar tú.

Mi padre suspiró y se sentó a la mesa de la cocina.

—Aceptó un trabajo en el laboratorio fotográfico del centro comercial porque quería tener acceso a un procesador de color. El dueño hizo un trato con ella. Darla imprimía lo que le ordenaban que imprimiera. Imágenes como las que has visto. No era bueno para ella.

No era bueno para ella. Qué le vamos a hacer.

—Wilson tomaba esas fotos de calendario —añadió mi padre—. No como lo que se ve hoy en día.

—¿El señor Wilson era un pornógrafo?

—¿Podemos dejar de utilizar esa palabra?

—De acuerdo —respondí—. ¿El señor Wilson tomaba fotos de personas desnudas? ¿Te gusta más así?

Mi padre mi miró consternado.

—¿Tomó las fotos de Jasmine Blue?

—¿Cómo quieres que lo sepa?

—Ya.

—No me mires así —dijo mi padre.

—¿Cómo te miro?

—Como si fuera una especie de pervertido.

Yo no sabía qué decir. Pese a la cantidad de lágrimas que había derramado ese día, seguía enfadada con mi padre por no haber abordado nunca el tema. Quizá pensaba también que yo lo había superado, como Ellie. Quizá conservó las fotos que le dio Jasmine porque le complacía sentirse deseado. Porque es agradable sentirse deseado, ¿no?

—¿Qué? —preguntó.

—¿No te sentiste un poco halagado de que Jasmine quisiera que fueras su… ya sabes?

—No.

—¿Entonces por qué conservaste esas fotografías?

—Mira —respondió mi padre—, tu madre y yo éramos almas gemelas. Monógamos. Aunque no es asunto tuyo, jamás me acosté con ninguna mujer excepto con tu madre. Ni antes, ni después.

—Hummm —dije. De repente me entristecí, porque pensé que mi padre había pasado demasiado tiempo sin… sexo. Hacía trece años que Darla había muerto.

Pero lo comprendí. Cuando una persona a quien amas decide dar ese paso, una gran parte de ti muere con ella. No sé cómo explicarlo de otra forma. Yo tenía cuatro años y lo comprendí. Ahora tenía diecisiete y lo comprendía.

Esa persona te lleva con ella.

—Lo siento —dijo mi padre—. No quería disgustarte. Pero… tampoco quiero que pienses cosas equivocadas sobre nosotros.

—¿Y esa muela? —pregunté.

Mi padre me miró perplejo y luego sonrió.

—¿Aún sigue allí? Caramba. Me había olvidado de ella.

—Allí sigue.

—La número cuarenta y seis —comentó, señalando el lugar en su mandíbula donde suele residir la número cuarenta y seis en la boca humana—. Se la tuvieron que extraer —dijo. Arrugó el ceño—. A partir de entonces ya no fue la misma.

—¿No fue la misma?

—El trabajo. La muela. Todo se le vino encima. Ya no fue la misma.

—¿Crees que ésa fue la causa? —pregunté.

—Estaba deprimida. Se lo dije. Ella insistía en que se le pasaría. Que lo resolvería.

Ambos guardamos silencio un rato.

—Y lo resolvió, desde luego —dije.

Entonces vi que a mi padre se le llenaban los ojos de lágrimas. No le ocurría con frecuencia. Yo me uní a él, dado que ese día había tenido mucha práctica.

Ambos rompimos a llorar. Luego nos abrazamos. Luego nos sonamos la nariz y mi padre emitió el sonido de elefante que emite siempre que se suena, lo cual me irritó, como de costumbre. Luego nos reímos porque él sabía que me irritaba.

—Se negaba a acudir a un terapeuta. Se escapaba al cuarto oscuro. Y un día encontró esas malditas fotos y se armó la gorda.

Yo no sabía qué decir. Ésta era la vez que habíamos hablado más largo y tendido sobre… todo.

—Yo pude haberla ayudado. Pero estaba furiosa conmigo —añadió mi padre.

—No fue culpa tuya —dije.

—¿Recuerdas que cuando la encontré tú estabas en el cuarto de estar con sus zapatos?

—¿Con sus zapatos? —pregunté. No lo recordaba.

—Los estrechabas contra tu pecho. Habías metido todas tus bellotas en uno de ellos y no querías entregármelos.

—Dios. No lo recuerdo —comenté.

Mi padre lloraba a lágrima viva. Nunca lo había visto así.

—Lo recuerdo cada día de mi vida.

—Quiero que lo superemos y sigamos adelante —dije—. Quiero que vuelvas a pintar y dejes de considerarlo un placer culpable. No lo es.

Mi padre me miró mientras se enjugaba los ojos con la palma de la mano.

—Lo único que he deseado hacer desde el día en que murió Darla es mudarme a otro lugar. Recuperar ese terreno —confesó, señalando la comuna—. Vender esta casa y marcharnos. A California. O a Italia. O a las islas Vírgenes. A Maine. A Vermont. No me importa adónde. Aquí no puedo funcionar. —Se giró hacia la cocina y señaló el espacio donde había estado el horno—. Cada día la veo ahí.

Miré sus ojos enrojecidos y llenos de lágrimas.

Transmisión de mi padre: *Su padre apenas había hablado con él desde que Darla había muerto. No sabía qué decir, de modo que no decía nada. En su lecho de muerte, le dijo: «Lamento lo de tu mujer, hijo». Su madre no le había hablado en veinticinco años, desde que se había marchado para convertirse en* hippy *que abrazaba a los árboles y viajaba con un grupo llamado la Coalición Skyforce, que puede que creyeran en la existencia de benévolos unicornios. Mi abuela ignoraba que yo existía. Ni siquiera sabía que Darla había muerto.*

Eso *sí* que es oportuno.

Todo sirve para avanzar

Mi padre no paraba de llorar. Le pregunté si necesitaba algo y negó con la cabeza. Yo quería concederle espacio para que llorara a gusto, así que le dije que regresaría dentro de un rato y bajé al cuarto oscuro. Miré la secadora de copias y comprobé que las hojas de contacto estaban secas.

Tomé las tijeras y recorté las pequeñas fotos del tamaño de un negativo. Las pegué en mi cuaderno de dibujo y debajo de ellas pegué el mensaje de mi galleta de la suerte con cinta adhesiva.

Todo sirve para avanzar.

Yo lo escribí también. *Todo sirve para avanzar.*

Abrí *Por qué la gente toma fotografías.* Oí a mi padre sonarse arriba y me pregunté si algún día debía mostrarle este cuaderno. O puede que ya lo hubiera visto y lo hubiera escondido para que yo lo encontrara. Puede que todo estuviera planeado. Puede que mi padre quisiera que yo conociera a Darla en el momento y las circunstancias que me convinieran. O puede que quisiera que conociera a Jasmine en el momento y las circunstancias que me convinieran. Elige tú.

En la página siguiente había una pequeña foto de Bill, el hombre sin cabeza. Sobre ella, Darla había escrito: *Hoy he visto a Bill. Estaba en el cuarto oscuro conmigo. Sigue sin cabeza.*

Más abajo había escrito: *¿Por qué te levantaste la tapa de los sesos de un tiro?*

Cuando leí esas palabras, *¿Por qué te levantaste la tapa de los sesos*

175

de un tiro?, comprendí que Darla había tratado de hallar la respuesta a la misma pregunta que yo me hacía. Yo no sabía cuándo había comenzado su búsqueda. ¿De muy joven? ¿Había empezado a planteárselo cuando había oído hablar de ello por primera vez? ¿Cuándo empiezan las personas normales a pensar por primera vez en el suicidio? Darla tenía siete años cuando Jim Jones asesinó a sus seguidores en Jonestown y dijo que era un suicidio colectivo. Quizá Darla lo había visto en las noticias. Quizá pensó en ello más tarde, en la academia de bellas artes, cuando estudiaba la vida y obra de Diane Arbus, una de sus fotógrafas favoritas, que murió en 1971, el año en que nació Darla. Quizá fue Kurt Cobain en 1994. Roy y Darla eran grandes fans de él.

Cuanto más contemplaba esa página —*¿Por qué te saltaste la tapa de los sesos de un tiro?*— y la comparaba con la mía —*Todo sirve para avanzar*—, más se fundían las dos. Quizá yo había hallado la respuesta que buscaba Darla.

¿Por qué se había saltado Bill la tapa de los sesos de un tiro?

Porque todo sirve para avanzar.

Aunque no tenga sentido.

Aunque deje un agujero tan grande que algunos días no puedes respirar.

Empezó a sonar mi teléfono móvil. Era Ellie. No hice caso y esperé a que me dejara un mensaje en el buzón de voz. Luego consulté mi buzón de voz porque, por más que fingiera, aún no había decidido nada sobre nuestra amistad…, aunque ella fuera una cretina.

«Hola, Glore. ¿Puedes llamarme? Tengo que hablar contigo.»

No la llamé.

Pero todo sirve para avanzar. Incluso la inacción.

Todo sirve para avanzar. Incluso unas fotos de tu mejor amiga desnuda que ésta da a tu marido.

Todo sirve para avanzar. Incluso parir a una criatura que parirá a otra criatura que morirá en el futuro en un túnel lleno de humo.

Debe de haber otra puerta

Subí de nuevo y me acerqué a mi padre, que seguía sentado en el sofá. Ya no lloraba y parecía emocionalmente más ligero, suponiendo que sea posible parecer emocionalmente más ligero.

—¿Odias a Jasmine Blue? —pregunté.

Él reflexionó unos segundos sobre la pregunta, frotándose la barbilla.

—Sí. La verdad es que sí —respondió.

—Creo que yo empiezo a odiar también a Ellie —dije.

—No utilicemos la palabra *odiar*, Bizcochito. A tu madre le disgustaría.

Yo solté una carcajada.

—Como si *ella* no hubiera odiado a Jasmine después de encontrar esas fotos. Vamos, hombre.

—No la odiaba. Más bien sentía lástima por ella. Al igual que sentía lástima por esas otras mujeres…, ya sabes, a las que sorprenden en situaciones comprometidas.

—Luego se suicidó, papá.

Mi padre me miró.

—Si eso no es un acto inducido por el odio, no sé qué es —dije.

—Ella odiaba al mundo —replicó mi padre—. Estaba furiosa con el mundo. —Bajó la vista y se miró las manos—. Siempre pensé que fue la última broma que gastaba al mundo, abandonarnos cómo y cuándo quisiera. Largarse de aquí. Toda la política. Todas las patrañas. Tu madre era demasiado honesta para vivir. Eso era. Demasiado honesta.

Lo miré y sonreí porque él sonreía. Allí estábamos los dos, sonriendo mientras hablábamos de la Difunta Darla.

Imaginé a mi padre en esa época, el aspecto que debía de tener: un pantalón corto amplio, una camisa de franela cortada y una camiseta desteñida y con agujeros. El pelo largo y rizado. Unas botas. Doc Martens, probablemente. Joven, como Darla. Era un hombre guapo. Ella era una mujer hermosa. Yo era su bonita hija, que también era demasiado honesta para asimilar tantas mentiras. No encajaba en ninguna conversación que oía porque de lo único que hablaba la gente era de tonterías que no me interesaban en absoluto. Nadie hablaba sobre el arte. Nadie hablaba sobre la tórtola que mentía al fingir que su canto era un lamento. Nadie hablaba sobre el sistema de zonas.

Yo encajo aquí. En mi casa. Con mi familia, que se compone sólo de mi padre y de mí desde que tengo cuatro años. No creo que encaje nunca en otro sitio. Cuando miro a mi padre, me doy cuenta de que él piensa exactamente lo mismo. Estábamos furiosos con el mundo, y ése era el único lugar en el que podíamos estar furiosos con el mundo.

Darla tenía que escapar. Y eso fue lo que hizo. ¿Qué haría yo? ¿Qué haría mi padre? Si ninguno de los dos podemos revolcarnos en la mierda que pretenden endilgarnos, ¿dónde está la puerta? Debe de haber otra puerta.

—¿Qué ha hecho ahora Ellie? —preguntó mi padre.

—Nada peor de lo que hace siempre —respondí—. Todo gira siempre en torno a ella. Es una egocéntrica.

—Pero los amigos se perdonan esas cosas, ¿no?

—No sé. Ellie nunca ha sido realmente amiga mía. —En ese momento me sentí la persona más despreciable del mundo—. Quiero decir que somos amigas por casualidad. Ella vive aquí. Yo vivo aquí. Pero no tenemos gran cosa en común.

—Ya.

—¿Lo entiendes?

—Sí. Pero no quiero que todo esto te disponga en contra de ella. Siempre me ha parecido una buena chica.

—Pero tú mismo dijiste que la manzana nunca cae lejos del árbol.

—Ya —repitió mi padre—. ¿Ha hecho algo Ellie que te haya inducido a decir eso?

—Nos peleamos. Pero fue una pelea que debimos tener hace años, de modo que no, no ha hecho nada específico. Todo sirve para avanzar. Supongo. Puede que yo esté cambiando. Puede que esté creciendo y ella no. No lo sé.

—Sé respetuosa con ella.

—Lo intentaré. —No podía explicar a mi padre que Ellie no había sido respetuosa conmigo.

Salí al porche. Hacía una de esas noches ideales de principios de junio. Fresca, pero aún podía llevar tan sólo una camiseta. Dejé todas las luces del porche apagadas para contemplar las estrellas. Alcé la vista al cielo y hablé con Darla porque ella estaba allí, en las estrellas, porque yo también estaba allí. En la historia del mundo, todos nos encontramos en las estrellas.

Le dije:

—A veces siento deseos de marcharme en el momento y en las circunstancias que me convengan, pero debo hacer algo. Aún no sé qué es, pero sé que hay algo que debo hacer

Transmisión de Betelgeuse: *Hay algo que debes hacer.*

Transmisión de Vega: *Hay algo que debes hacer.*

Transmisión de la Estrella Polar: *Hay algo que debes hacer.*

Casi me quedé dormida sentada en los escalones del porche. Llorar es agotador. Hacía mucho que no lo hacía. Había olvidado lo cansada que me sentía después de llorar. Puede que Darla se sintiera tan cansada que no pudo seguir haciéndolo.

Historia del futuro según Glory O'Brien

Los Viejos Estados Unidos reunirán por fin un ejército lo bastante numeroso para proteger la frontera. Los Nuevos Estados Unidos se apoderarán de casi dos estados enteros en nueve semanas.

Después del asalto inicial de nueve semanas, Nedrick el Santurrón seguirá haciendo más apariciones públicas. Dirá que tiene un ejército más numeroso en reserva. Dirá que a todas las personas de más de sesenta años deberían practicarles la eutanasia. Dirá que todas las escuelas sufragadas con fondos del Gobierno deberían cerrar y que los Nuevos Estados Unidos abrirán sus propias escuelas. Dirá que las mujeres sólo sirven para una cosa.

No aclarará a qué se refiere.

Los nuevos estadounidenses dejarán de hablar con los reporteros de las cadenas nacionales. Nedrick dirá: «Nuestros asuntos no les incumben».

Empezarán a desaparecer muchachas jóvenes de los estados fronterizos a un ritmo alarmante. Entre veinte y cuarenta por noche. El sonido de gemidos y llanto será tan habitual como el sonido de los trenes de carga y el tráfico.

No veo adónde llevan a las muchachas jóvenes, pero sé lo bastante para deducir que las venden por dinero o que terminan en un edificio que tiene un número en la fachada.

¿Qué crees que te hace diferente?

Mi padre tenía la televisión encendida mientras trabajaba. Lo observé mientras me comía mis cereales, medio dormida.

—¿Tienes todavía amigos? —pregunté de sopetón—. No recuerdo haberte visto nunca con amigos.

—Las personas son una mierda.

—No todas.

—Casi todas.

—Vale.

—¿Por qué? —preguntó, alzando la vista sobre el borde de su ordenador portátil. Transmisión de mi padre: *Su antepasado lejano ensartó a cinco Cabezas Peladas de Cromwell con una pica.*

—No sé —respondí—. Yo tampoco tengo amigos.

—¿Lo que dijiste anoche sobre Ellie era en serio?

—Sí.

—¿Porque habéis cambiado al haceros mayores?

—Exacto —mentí—. Supongo.

—Bienvenida al resto de tu vida. Por eso no me molesto en hacer amistades. Aunque lo haría si…

—¿Si qué?

—Si vivera en otro lugar —respondió mi padre.

—¿Tú crees?

—No lo sé. La mayoría de los hombres de mi edad se contentan con mirar los programas deportivos y hablar de tonterías.

—Todo el mundo habla de tonterías.

—Es verdad.

Mientras me comía el resto de los cereales, comprendí que la historia del futuro no era una tontería. Quizá fuera consecuencia de la locura inducida por el murciélago, pero no era una memez. Me había demostrado algo.

El pasado es futuro es pasado es presente es futuro es pasado es presente.

Un hecho: El pasado, el presente y el futuro tienen una cosa en común. Yo.

Me habría gustado tomar una fotografía de eso. Hacer que fuera *real*. Convertirlo en algo que yo pudiera pegar en un cuaderno de dibujo. Más que una historia sobre lo que veía cuando miraba a las personas.

¿Por qué la gente toma fotografías?

Para hacer que las cosas sean reales.

O más reales.

O algo.

Para tener recuerdos de las cosas que ha perdido.

Para recordar, aunque a veces desee olvidar.

————————

Decidí tomarme un día sin Ellie. Decidí ir al centro comercial para ver si me encontraba de nuevo con el hombre del USS *Pledge*. Cuando sonó mi teléfono móvil, respondí sin pensar.

—¿No has oído los mensajes que te he dejado en el buzón de voz? —soltó Ellie.

—Estaba liada —contesté.

—¿Podemos ir de nuevo al centro comercial? —preguntó. [Insertar risas de fondo.]

—Pues… no sé. Tengo muchas cosas que hacer hoy.

—Mentirosa. Lo dices porque ayer me porté mal contigo.

—Hummm.

—De acuerdo, lo reconozco, ¿vale? Intentémoslo de nuevo. Quiero tratar de ver tu guerra, y tú probablemente quieres ver más cosas, ¿no?

—Supongo —respondí.

—Bueno... Llegaré dentro de cinco minutos.

Dejé que transcurrieran unos segundos antes de contestar:

—De acuerdo.

No sé por qué accedí. Ellie era un hábito. Era aún temprano. No tenía la capacidad mental para mentir y decirle que tenía cosas que hacer.

Ellie se presentó en mi porche con una blusa nueva.

—Bonita camisa —dije, absteniéndome de añadir que se había desabrochado un botón de más.

—Gracias.

Era el tipo de comentarios que hacíamos de camino al centro comercial. Charlamos de cosas intrascendentes. Luego, cuando llegamos, nos separamos y quedamos en reunirnos para almorzar a la una en la zona de restaurantes.

Cuando entré en el establecimiento me senté en un banco del área central, esperando a que apareciera el hombre del USS *Pledge* y recibiera tantas transmisiones como fuera posible.

Transmisión de la mujer sentada junto a mí: *Su nieto descubrirá un gen en los humanos causante de una enfermedad rara que no sé pronunciar. Irónicamente, el hijo de éste contraerá esa enfermedad y morirá, y será enterrado en el mismo cementerio que la madre de Darla. Se llamará Lawrence Julian Harrison. Vivirá hasta los nueve años. Su último día en la escuela aprenderá a multiplicar fracciones. Nunca volverá a utilizar esa habilidad.*

Transmisión de un hispano de edad avanzada que luce una camisa cubana recién planchada: *El bisnieto de su hermana será deportado durante el asalto de nueve días emprendido por Nedrick. Después de ser deportado, sus hijos, que le sobrevivirán, se convertirán en exiliados. Vivirán en los árboles y buscarán comida entre la basura. Siete generaciones más tarde, sus descendientes serán invitados a ser los primeros habitantes del EcoDome en la Luna.*

Miré a mi alrededor, tratando de establecer contacto visual con otra persona, y vi a un tipo con una cuidada perilla y el pelo castaño y más bien largo. Iba vestido como solía vestir mi padre: de forma descuidada pero aseada. Camisa de franela cortada, camiseta, pantalones cortos amplios, que parecían viejos pero no sucios. Botas. Lucía un tatuaje, en forma de banda, alrededor del brazo derecho. Era mayor que yo... pero no mucho. Me sonrió. Era increíblemente guapo.

Me sentí como una estúpida al pensarlo, pero lo pensé. Tenía la piel bronceada como si trabajara muchas horas en el jardín, o algo por el estilo. Tenía los brazos musculosos. Me sentí rara fijándome en esos detalles. Como si no quisiera convertirme nunca en un ser sexual.

Le sonreí.

Transmisión del tipo sexi que yo trataba de no comparar mentalmente con mi padre de joven: *Se casará dentro de unos años, y lo hará con el amor de su vida, una joven a la que conocerá en el centro comercial un día de junio de 2014.*

¡No fastidies!

Desvié la vista. Luego lo miré de nuevo. Transmisión de ese tipo que quizá se case conmigo dentro de unos años: *Él y su esposa huirán de la Compañía Hurón. El hombre de la camioneta roja no podrá atraparlos. Destruirán muchas cosas pertenecientes al ejército de los Nuevos Estados Unidos y la pegatina que dice* MI OTRO JUGUETE TIENE TETAS *de la camioneta roja. Él se convertirá en un especialista en explosivos. Su esposa será una francotiradora. Él tendrá ochenta y seis años cuando muera en sus brazos.*

El tipo me sonrió de nuevo, de modo que aparté la vista, pero luego se sentó en un banco situado a tres bancos del mío. Llevaba una carpeta sujetapapeles. Al verla me sentí como una estúpida porque, hasta que me fijé en ella, creía que me sonreía a mí. Pero seguramente quería algo. Cuando volví a levantar la vista me encontré cara a cara con una niña que comía una piruleta.

Transmisión de la niña de la piruleta: *Su bisabuela le contaba historias de cómo había sobrevivido a la Segunda Guerra Mundial. A ella le serán muy útiles cuando se encuentre viviendo en una ciénaga para escapar del ejército de los Nuevos Estados Unidos.*

—Hola —me saludó el tipo increíblemente guapo. No le había visto acercarse. De cerca parecía más joven. Aunque mayor que yo.

—Hola —respondí.

—Peter —dijo, ofreciéndome la mano. Yo la estreché. Traté de ver lo que llevaba en su carpeta sujetapapeles, pero no pude. ¿Iba a pedirme dinero? ¿Una firma? ¿Que me suscribiera a una revista?

—Me llamo Glory. —Él se rio. Siempre se ríen. Glory es el nombre de una estrella de cine porno. Es el nombre artístico de una bailarina de *lap dance*—. Es la abreviatura de Gloria —aclaré, mirando sus botas Doc Martens. Bastante gastadas. De color granate.

—Encantado de conocerte, Glory.

—¿Nos conocemos? —pregunté. Luego lo miré de nuevo.

Transmisión de Peter: *Su abuelo fue prisionero de guerra en el Pacífico durante la Segunda Guerra Mundial y tuvo que comer bichos y beberse su orina. Su descendiente lejano inventará un microchip que se inserta en los niños para que puedan soportar los exámenes escolares sin sentir temor o aburrimiento.*

—Yo creo que sí —respondió—. Y tienes una sonrisa muy bonita.

La nuestra podía considerarse la conversación más extraña del mundo. Si alguien nos estaba observando, habría llamado a la policía. Mi padre habría atropellado a Peter con su carrito eléctrico Jazzy del supermercado. Hasta Ellie, que debía de estar curada de espantos después de acostarse con Rick-el-de-las-ladillas-que-colecciona-libros-sobre-asesinos-en-serie, se habría quedado alucinada.

—Esto resulta bastante… raro —comenté—. Agradable. Pero raro.

Él se rio.

—No ha salido como yo quería.

—No te preocupes —dije. Me centré en su rodilla. Que también era increíblemente atractiva.

—Estoy haciendo una encuesta. Esta semana he venido aquí todos los días. Empiezo a cansarme del tema.

—¿Una encuesta? —pregunté—. Espero que no me hagas responder a un montón de preguntas.

—Nada de preguntas —aclaró él—. Ya has respondido. ¿Lo ves? —Me enseñó un papel sujeto a su carpeta en el que había unas X y una marca de verificación—. ¿Ves esta marca de verificación? Ésa eres tú. —El resto de la página estaba llena de X. Había unas cincuenta—. Has sido como un faro en la tempestad. Eso es todo. No pretendía asustarte. Me alegro de haberme encontrado contigo.

—¿Por qué soy la única marca de verificación?

—Mira a tu alrededor —respondió él—. ¿Qué crees que te hace diferente?

Miré a mi alrededor. Crucé la mirada sin querer con una mujer que pasó rápidamente de largo. Transmisión de la mujer que pasó rápidamente de largo: *Su padre recibió la orden de presentarse en Oak Ridge, Tennessee, en 1943, para participar en un proyecto de alto secreto llamado Manhattan Project. Un día, el resultado de Manhattan Project sería una bomba de cuatro mil cuatrocientos kilos llamada* Little Boy.

No pude responder enseguida a la pregunta de Peter. *¿Qué crees que te hace diferente?* Lo que me hacía diferente era el hecho de que podía ver las infinidades de las personas. Lo que me hacía diferente era que me había bebido a Dios y me había convertido en Dios. O que me había bebido un murciélago y me había convertido en un murciélago. Elige tú.

Lo que me hacía diferente era que no podía mirarte a los ojos y verte simplemente *a ti*. Lo veía *todo*.

—¿Y bien? —preguntó Peter.

—¿Qué me hace diferente? Hummm —dije, mirando a mi alrededor—. ¿Que no estoy bronceada y me importa un comino no estarlo?

—No.

—¿Que no me tiño el pelo?

—No.

—¿El maquillaje? ¿Que no voy maquillada?

—Esta encuesta no va dirigida sólo a las mujeres —explicó Peter—. Es para todo el mundo.

—¿Y no pretendes venderme nada?

—No. Es para la universidad.

—¿Vas a la universidad? —pregunté. Él me miró y sonrió. Captó la intención de mi pregunta. Quería decir: «¿No eres un poco mayor para ir a la universidad?» No pretendía criticarlo—. Lo siento.

—Tardé un tiempo en decidir lo que quería hacer.

—Te entiendo.

—Y sólo tengo veintidós años.

—Ah.

—Bueno, ¿quieres hacerme más preguntas?

Yo negué con la cabeza.

—Me sonreíste cuando yo te sonreí.

—¿Y?

—Pues eso. No frunciste el ceño ni bajaste la vista ni te pusiste a jugar con tu móvil ni fingiste que no me habías visto. Me devolviste la sonrisa —dijo Peter.

—¿Y eso me hace excepcional?

Él hizo un ademán como si toda la población del centro comercial fuera un premio en un concurso televisivo.

—Inténtalo tú. Este lugar no es precisamente un vivero de personas afables.

Quise decirle que yo tampoco era una persona afable. Quise decirle que no quería tener amigos y que no tenía amigos y que me alegraba de no tenerlos. Pero estaba demasiado preocupada pensando en por qué estaba sonriendo. Era una novedad. ¿Sonreía porque un tipo increíblemente guapo me había sonreído? ¿Había sonreído a otras personas ese día y no me había dado cuenta? ¿Qué me estaba ocurriendo?

—¿Qué estudias en la universidad? —pregunté.

—Psicología —respondió Peter.

—¿Te pasas todo el día aquí?.

—Todo el día, toda la semana. Pero tengo hambre. ¿Te importa guardarme el sitio en el banco mientras voy a buscar algo de comer para los dos?

—De acuerdo.

—¿Qué te apetece?

—Un taco. De pollo. Con extra de nata agria.

Él levantó los pulgares.

Sólo llevaba la cámara de mi teléfono móvil. Por una vez, había dejado las otras en casa. Cuando Peter se alejó sentí deseos de sacarle una foto de espaldas. No lo hice. Pero si lo hubiera hecho, la habría titulado *No hice más que sonreír*.

El listón está muy alto

Peter comió pollo agridulce. Mojó el pollo en la salsa roja como si fuera comida rápida, lo cual me decepcionó bastante. Yo intenté comerme el taco, pero resultaba pringoso sentada en el banco, de modo que volví a dejarlo en la pequeña bandeja de papel. Pero luego decidí que no me importaba. Ese chico era un extraño. ¿Qué me importaba pringarme con unos tacos? Además, Peter había traído un centenar de servilletas de papel, las cuales resolverían el problema.

Nos pusimos a charlar sobre música.

—Me encantan las viejas bandas —dijo Peter—. Desde Zeppelin hasta Nirvana pasando por los Stones.

—Mis padres eran unos friquis *hippies*. A mí también me gusta esa música. Añade a Grateful Dead y a Hendrix y a Pearl Jam y podríamos ser gemelos musicales.

Comimos durante un rato en silencio. Pero no era un silencio tenso porque mi taco era muy crujiente. Al menos, sonaba crujiente. Cada vez que miraba a Peter, lo encontraba más atractivo.

—¿De modo que te pasas el día sonriendo a la gente? —pregunté.

Él asintió mientras comía.

—¿Es una encuesta sobre lo cabronas que son las personas?

Él se rio un poco.

—Es una tesis para una clase de verano. La titularé «La muerte de la educación en el mundo conectado».

—Hummm.

—¿Lees alguna vez en Internet los comentarios debajo de los artículos?

—Ya sé a qué te refieres.

—¿Vas al instituto?

—Acabo de graduarme.

—Me encantaría entrevistarte. Por ejemplo, ¿qué te parece el instituto?

—Pensé que tenías veintidós años —contesté—. El instituto no ha cambiado mucho desde que ibas tú.

Mastiqué el último bocado de mi taco, que era una tercera parte de la totalidad del taco que acababa de meterme en la boca antes de que se partiera en un millón de trozos sobre mi regazo.

—Mis compañeros de clase dicen que estoy demasiado obsesionado con estas cosas, con la idea de que los humanos se muestran cada vez menos interesados en otros humanos y más interesados en lo que hay en su ordenador. Ese tipo de cosas.

—Tienes razón —dije—. Hasta los amigos ya no se comportan como amigos.

—¿A qué te refieres?

—A que se limitan a enviarse mensajes de texto o a reunirse para chismorrear o mirar los perfiles de unos y otros y burlarse de otras personas y esas cosas.

—¿Es lo que haces tú?

—Yo no tengo amigos —respondí.

—Lo dudo.

—Allá tú. Es verdad.

Él me observó.

—¿Ni uno solo?

—Tengo una amiga. Pero sólo porque vive al otro lado de la calle. Pero no es una amiga íntima. En todo caso, me va bien.

—Tienes aspecto de ser una chica guay.

—Lo soy.

—Entonces ¿por qué no tienes amigos? —preguntó Peter—. ¿Tanto te cuesta conocer a gente guay como tú?

—Sí. Y no. No lo sé. En general las personas no me caen bien —respondí—. No son de fiar.

—¿Y yo?

—Tú, ¿qué?

—¿No soy de fiar?

—Es posible.

—Nos conocemos desde hace menos de una hora. No creo que un misántropo se sentara a comer aquí con un extraño.

—Supongo que soy rebelde.

—¿Así que te parezco guay?

—Sí. Pero aún no te conozco —respondí—. Por regla general, al poco tiempo de conocer a alguien me doy cuenta de que no es tan guay como creía.

—Eso es poner el listón muy alto.

—Más vale ponerlo alto, ¿no crees? De lo contrario, ¿por qué te pasas el día sonriendo a la gente en el centro comercial?

—Tienes razón. Pero no puedes exigir a todo el mundo que satisfaga tus expectativas.

—¿Por qué?

—Dices que no tienes amigos. Lo cual demuestra que esa actitud no funciona.

—No quiero tener amigos —contesté—. ¿Y qué?

—Eres diferente —replicó Peter. Lo dijo sonriendo, así que lo interpreté como un cumplido. Pero no sabía qué decirle—. Si eres capaz de aceptar esa entrevista, creo que eres una persona que debería expresar su opinión sobre este tema para mi tesis.

—Pensé que ya me estabas haciendo la entrevista —respondí. Los dos nos reímos—. Creo que deberíamos seguir charlando sobre música antes de regresar a nuestras respectivas tareas.

—No sé. Me gustaría saber por qué no quieres tener amigos —insistió Peter.

Después de reflexionar unos instantes, respondí:

—No los necesito, sencillamente.

—¿Estás muy unida a tu familia?

—Bastante.

—¿Tienes hermanos?

—Soy hija única.

—Tus padres deben de ser geniales.

—Sí. Lo son.

—¿Así que aprendiste a poner el listón alto en tu casa?

Yo me reí.

—Sí. Puede decirse que sí.

—Eres una chica muy interesante.

—¿Tú crees?

—¿Lo ves?

—Nunca he encajado con los demás, si a eso te refieres —dije—. No estoy segura de querer hacerlo.

—Ya —murmuró Peter.

Luego llevó nuestros platos vacíos al contenedor de basura. Yo me levanté, y cuando Peter vio que me había puesto de pie me miró un poco decepcionado, como si quisiera seguir conversando conmigo.

—Debo irme —dije.

—De acuerdo. Me alegro de haberte conocido —contestó, entregándome una tarjeta—. ¿De modo que aceptas la entrevista?

—Sí. No hay ningún problema.

—Aquí tienes mi número. Llámame y quedaremos.

—De acuerdo —respondí, echando un vistazo a la tarjeta antes de guardarla en mi bolsillo.

—Hasta pronto entonces —dijo Peter. Nos despedimos con un apretón de manos. El suyo era firme. El mío también. Ambos habíamos puesto el listón muy alto.

Transmisión del guaperas de Peter: *Su padre nunca sintió afecto por él y siempre le decía que se cortara el pelo. Un día le dijo que parecía un marica.*

————————

Cuando me dirigí hacia la fuente situada delante de Sears sonreí a la gente con la que me crucé. Peter tenía razón. Nadie me devolvió la sonrisa. La respuesta era todo lo contrario. Las personas parecían sentirse incómodas cuando yo les sonreía.

Recibí algunas transmisiones de los transeúntes y tomé notas para *Historia del futuro*, pero estaba absorta en mis pensamientos. Pensaba principalmente en Peter y en el tipo del USS *Pledge*, y, conforme se aproximaba la hora del almuerzo, en Ellie.

No sabía qué le diría para apartarla por fin de mi vida. Vivía al otro lado de la calle, de modo que, a menos que me quedara en el cuarto oscuro o me fuera a vivir a otro sitio, la cosa iba a ser complicada.

Recorrí los lugares que suelen frecuentar las personas ancianas y busqué al tipo del USS *Pledge*. Incluso di una vuelta por el exterior del centro comercial, donde algunas personas daban su paseo diario vestidas con elegantes atuendos deportivos. Pero no lo vi. Tampoco estaba dentro.

Cuando entré de nuevo en el centro comercial, pasé frente a un mercadillo donde vendían cromos de jugadores de béisbol, viejos discos de vinilo y otras reliquias. Vi unas gafas de sol que me llamaron la atención. Tenían forma de murciélago. Los lentes eran de color rojo. Tenían unos pequeños murciélagos que colgaban de unas cadenitas a modo de pendientes. Las compré por diez dólares y me las puse.

El resplandor rojo era en parte un *flashback* del cuarto oscuro y en parte una metáfora. Yo era Glory O'Brien, un murciélago, que veía a través de unos lentes rojos. Furiosa con el mundo. Era el murciélago petrificado, muerto por dentro aunque tú no te percataras. Estaba muerta a todas las expectativas. Muerta a la laca de uñas. Muerta a la moda. Muerta a los chismorreos sobre celebridades. Muerta a lo que pudieras pensar de mí. Era libre porque tú nunca llegarías a conocerme.

Puede que los lentes rojos me hubieran desquiciado un poco, pero eso era lo que pensaba.

No soy nadie especial y soy libre.

La gente me miraba debido a las gafas y empecé a sentirme cohibida, de modo que me las quité y seguí tratando de localizar al anciano del USS *Pledge*.

Cuando di la vuelta al centro comercial por cuarta vez, empecé a sentirme como una estúpida. Quizás el tipo del USS *Pledge* no fuera de aquí. Quizás había estado visitando a un amigo o había ido al centro comercial con su hija. Era casi hora de almorzar. Decidí mirar en la zona de restaurantes. Aunque hacía sólo dos horas que había comido un taco con Peter, estaba famélica.

Enchiladas cancerígenas

Cuando me dirigí a la zona de restaurantes, busqué a Peter para comprobar si seguía siendo tan guapo como me había parecido esa mañana. O para comprobar si estaba sentado en un banco preguntando a otra chica si podía entrevistarla.

Reconozco que se me había ocurrido. Bien pensado, su pretexto de una entrevista/tesis podía ser la táctica que utilizaba con todas las chicas con las que se encontraba en el centro comercial. ¿Qué sabía yo?

No lo vi, pero tampoco le di demasiada importancia. Supuse que estaría ocupado. Supuse que aparecería en algún sitio. Y así fue.

—¿Quién es ése? —preguntó Ellie mientras hacíamos cola para pedir unos *calzoni*. Peter me había saludado con la mano y se había sentado en la zona más concurrida, supongo que para sonreír a las personas que venían a almorzar.

—Peter —respondí.

—¿De dónde ha salido?

—Lo conocí esta mañana —contesté. Ellie puso una cara que indicaba claramente que no le gustaba que yo conociera a nadie.

Comimos nuestro almuerzo y hablamos sobre nuestras transmisiones. Cada tanto, Ellie miraba a Peter y le hacía ojitos.

—Bueno, ¿has visto hoy alguna novedad? —pregunté.

—Me he enterado de que a un tío al que no había visto en mi vida le gusta oler los zapatos de los demás cuando nadie le observa. Y que el abuelo de una mujer era bailarín profesional de claqué y que la hija de una niña vivirá en los árboles.

—En el exilio —apostillé—. Vivirá en el exilio.

—¿Has visto al tipo de la silla de ruedas? —preguntó Ellie.

—Confío en que venga a almorzar —respondí, mirando a mi alrededor. Pero no vi a ningún anciano en una silla de ruedas.

Ellie se afanaba en comer unas enchiladas picantes e irradiadas en un plato de poliestireno con un tenedor y un cuchillo de plástico. Todo era cancerígeno. Saqué una foto que titulé *Enchiladas cancerígenas*.

Ellie no dejaba de mirar a Peter, tratando de captar su atención. Mientras la observaba pensé que Ellie era la única persona que yo tendría siempre en mi vida. Pero que en el breve espacio de una mañana había conocido a una persona auténtica que no pretendía que le llevara en coche a ningún sitio ni que le comprara cosas en la farmacia. Sólo deseaba comprobar si yo le sonreía o no. Y qué clase de música me gustaba.

—¿Qué nos está pasando? —pregunté.

—Nos hemos bebido a Dios —respondió Ellie—. Ahora podemos verlo todo…, incluso a tipos a los que les gusta oler zapatos.

Ellie se rio, pero yo no me refería a eso. Me refería a algo que ella aún no sabía. Me refería a: «¿Por qué seguimos fingiendo?»

—Todo está cambiando —comenté.

Ellie miró de nuevo a Peter y luego me miró a mí. Dijo:

—Sus padres viven en una urbanización para jubilados de más de cincuenta y cinco años en Florida y a su padre le gusta montar en bicicleta. Es de color verde. Su madre detesta ponerse un gorro de baño cuando utiliza la piscina de la comunidad. Tienen un gato.

En ese momento Peter me miró.

Transmisión de Peter: *Cuando su abuela se fue a vivir a un geriátrico, los otros residentes no dejaban de atosigarla y ella se defendía tocando cada mañana, antes del desayuno, música de jazz al piano. Peter hará lo mismo cuando sea viejo durante la segunda guerra de Secesión. Tocará la armónica siempre que tenga ocasión para recordar a sus compañeros rebeldes que en el mundo existe el bien.*

—Mierda —exclamó Ellie—. Viene para acá.

Peter se detuvo y nos saludó. Yo le presenté a Ellie. Ella hizo su característico mohín. Apuesto a que si le hubiera dado tiempo, se habría desabrochado otro botón de su blusa nueva.

—¿Ha pasado mi amiga la prueba? —pregunté a Peter.

—No —respondió.

—¿A qué prueba te refieres? —inquirió Ellie.

—¿Cuántas marcas de verificación?

—Once. Por fin hemos pasado de diez —comentó Peter mientras se despedía con la mano y se alejaba.

Ellie parecía cabreada de que no hubiéramos respondido a su pregunta.

—Debiste pedirle su número de teléfono —dijo.

Yo me levanté para tirar a la basura lo que había en mi bandeja.

—Ya lo tengo —contesté.

Mentiría si te dijera que no confiaba en que el futuro que viera para Peter no fuera también el mío. Confiaba en que, de todas las personas que él conociera en el centro comercial durante su experimento, yo fuera la que resultara ser su alma gemela en junio de 2014.

Archívalo como: Estúpido pero cierto.

Archívalo como: Estaba harta de no vivir mi vida.

Mientras bajábamos en la escalera mecánica, Ellie comentó:

—Aún estás cabreada por lo del otro día, ¿verdad?

—No.

—Sí —insistió ella—. Ni siquiera me miras.

—Estoy bajando en una maldita escalera mecánica, Ellie.

—Bueno, me refiero a antes —dijo ella.

Esperé hasta que salimos del establecimiento. Si íbamos a tener por fin una pelea en toda regla, necesitaba inspirar el suficiente oxígeno para vociferar tan fuerte como pudiera.

Y eso hice.

—¿Cuál es tu problema? —grité, articulando cada sílaba. Tres tipos que estaban fumando junto a un cenicero/cubo de basura se giraron para mirarme.

—¿Y el tuyo? —replicó ella.

Yo no tenía ganas de descender a su nivel. El listón estaba demasiado bajo.

—Lo único que hice fue preguntarte si aún estabas cabreada por lo del otro día. Está claro que sí.

—Y yo te dije que no. Pero lo que yo diga te importa un pito porque ya tienes todas las respuestas. Así que no vale la pena que hable de ello.

—Pero lo haces —dijo Ellie—. ¿No?

—No.

—¿Qué diablos te pasa hoy?

Reflexioné.

—Tengo cosas en que pensar, ¿vale? Y tú has dejado muy claro que no puedo compartirlas contigo.

—En tu vida has compartido nada conmigo —soltó Ellie.

—Ayer lo hice. Y ya ves el resultado. En serio, ¿por qué voy a compartir algo con una persona tan egocéntrica?

Ellie se dispuso a protestar, pero se detuvo.

—¿Egocéntrica?

—Egocéntrica.

Eché a andar hacia el coche. Ella me siguió.

—No me había dado cuenta —comentó—. Si fuera egocéntrica me habría dado cuenta, ¿no?

—Supongo. No lo sé —respondí.

—¿Quieres que volvamos a entrar? ¿Para ver de nuevo a Peter? No quiero obligarte a marcharte si no quieres.

—Da lo mismo. El viejo no estaba allí. Lo intentaré otro día.

Abrí las puertas del coche y Ellie se sentó en el lado del copiloto.

—Me apetecía pasar el día fuera de casa —dijo—. Mi madre me pondrá a trabajar en cuanto vuelva. —[Insertar risas de fondo.}

Iba a arrancar, pero me detuve. La miré y ella arrugó el ceño.

—Si quieres, podemos volver al centro comercial —propuse.

—¿Por qué no vamos a otro sitio? —[Insertar risas de fondo]—. ¿A la calle Mayor? —sugirió Ellie.

La calle Mayor era la única calle que aún bullía de vida cerca de nuestra población local devorada por la pobreza. Existía gracias a las

personas que percibían fondos gubernamentales para la revitaliza-
ción de la zona. Era una calle atractiva, real, donde las tiendas no te-
nian un logotipo corporativo ni lo importaban todo de China.

De modo que nos dirigimos hacia la calle Mayor.

Al llegar, Ellie y yo nos separamos. Quedamos en reunirnos junto
al coche a las cuatro. Yo me senté en un bonito banco y sonreí a la
gente. Nadie me devolvió la sonrisa. Saqué un pequeño bloc del bolso
y empecé a tomar notas. Una *X* por las personas que no me devolvían
las sonrisa, una marca de verificación para las que lo hacían. Recibí
también algunas transmisiones.

Transmisión de *X* n.° 4: *Un descendiente lejano abrirá una cafetería en
el primer transbordador espacial de Júpiter. Servirá los mejores* chai lattes* *de
la galaxia.*

Transmisión de *X* n.° 8: *Su padre se olvidó de desenchufar la cafetera
esta mañana y se cargó la encimera de la cocina en su apartamento.*

Transmisión de *X* n.° 14: *Su nieto robará un banco en Mt. Pitts, Pensilvania, y pasará nueve años en la cárcel. Su otro nieto tratará de secuestrar a
una niña de siete años y pasará tres meses en la misma cárcel antes de que lo
suelten. Ese nieto practicará la eutanasia a su abuelo para apoderarse de su
coche, un Dodge Neon de 1997 sin aire acondicionado y pocos kilómetros.*

Transmisión de *X* n.° 19: *Su antepasado lejano luchó en la invasión de
Irak por parte del ejército mongol en el siglo trece. Disparaba flechas con una
ballesta y mató a siete personas con sus propias manos.*

Transmisión de *X* n.° 24: *Su bisnieta se exiliará cuando la Ley de Los
Padres Cuentan sea promulgada. Se unirá al resto de las exiliadas —todas
madres solteras— y formarán una comunidad que vivirá en el bosque situado
al este de la periferia de la ciudad de la que proceden.*

Transmisión de mi única marca de verificación, una mujer de
veintitantos años con un tatuaje muy chulo en la clavícula: *Participará
en la revolución y llevará comida al bosque. Conducirá a mucha gente a un
lugar seguro. Perderá a sus dos hijas, víctimas del aparato. Al cabo del tiempo
se convertirá en mi mejor amiga.*

---

* *Chai latte*: Una mezcla de té con especias y hierbas aromáticas con leche.
(*N. de la T.*)

Le devolví la sonrisa que me dirigió. Cuando nos miramos ella aminoró el paso. Me cayó muy bien. Me apetecía más salir con ella que con Ellie.

Ella me mostró las posibilidades.

Un hecho: El mundo está lleno de personas.

¿Por qué salía con una que no me caía bien?

¿Todo el mundo tenía que soportar a amigos vecinos como yo? ¿Amigos de longitud-y-latitud?

Me senté en el banco más cercano y miré mi papel. Treinta y cuatro X y una marca de verificación. Los carrillos me dolían de tanto sonreír. O quizás estaban cansados debido a que muy pocas personas me devolvían la sonrisa.

Supuse que Peter debía de acabar agotado. Saqué una foto con la cámara de mi teléfono móvil de las notas que había tomado y la envié al número de su móvil, que encontré en su tarjeta. No quería enviarle una foto demasiado personal. Se me ocurrió que le gustaría saber que él me había inspirado. Quizá sonreír a la gente sería mi nueva venganza contra este jodido mundo.

Quizás el hecho de sonreír a la gente sería mi cura contra el trauma de mi-madre-con-la-cabeza-en-el-horno.

¿Le habríamos dado más importancia?

Sonreír a la gente me situó en la zona nueve. Era cierto cuando decían que tenía un efecto psicológico sobre una persona. Me sentía más feliz porque sonreía..., no a la inversa.

Ellie me vio sentada en el banco y se sentó a mi lado.

—He dejado de preocuparme —dijo.

—¿Sobre qué?

—Sobre las transmisiones.

—De acuerdo.

—Sólo quiero que se terminen.

—Ya se terminarán. Descuida.

—¿Por qué estás tan segura?

—No sé.

Silencio.

—Lamento ser una egocéntrica.

—Yo también lo lamento.

—He pensado en ello y supongo que soy una mala amiga.

Yo no quería que se sintiera mal. Ya teníamos bastantes problemas. De modo que mentí.

—No exageres —dije.

—Quiero irme a casa.

Accedí y nos encaminamos hacia el coche.

—Mi madre va a organizar otra fiesta de las estrellas mañana por la noche —anunció Ellie.

—¿Otra? —pregunté—. ¿Dos en una semana?

—Se trata de algo sobre los planetas —explicó Ellie, fingiendo indiferencia hacia los planetas.

Pensé en cómo debían de ser las fiestas de Jasmine tiempo atrás, cuando Darla y mi padre probablemente consumían hongos psicodélicos y conocían a pornógrafos.

Lo cual no significa que me preocupara lo que la gente hiciera con su tiempo y su cuerpo. Me tenía sin cuidado que a Jasmine le diera por columpiarse suspendida por su cabellera de un árbol, desnuda, mientras todos los habitantes de la comuna le arrojaban roedores vivos.

Lo que me preocupaba era lo joven que debía de ser Rick cuando empezó a dejar preñadas a algunas mujeres de la comuna. Me pregunté si en el caso de que Rick hubiera sido una chica le habríamos dado más importancia. ¿Existiría un calificativo aprobado por un tribunal para lo que las mujeres de la comuna hacían con él? ¿Le echaríamos en cara el hecho de ser un padre adolescente? ¿Podríamos hacerlo? En un mundo que parecía proclamar a los cuatro vientos *sé sexi o muere*, ¿podíamos censurarle por ello?

—¿Me has oído? —preguntó Ellie.

—¿Qué? Sí. Lo siento. Estaba pensando en otra cosa.

—¿En ese tal Peter?

—Uy, no.

—¿No tienes ojos?

—No me refiero a que no esté bueno. Lo está. Pero es muy mayor para mí.

—Ya —dijo Ellie.

—Sobre lo de la fiesta… Esta noche no podré asistir.

—Es mañana por la noche.

Mierda.

—Ah.

—Vendrá Markus Glenn. Se hará pasar por mi novio para dar celos a Rick —añadió Ellie.

—¿Markus Glenn, el chico del porno? ¿Dónde lo has visto?

—Hacía *running.* Por nuestra calle. Me vio y charlamos. Eso es todo.

—Haríais una bonita pareja.

—Basta. No viene por ese motivo. Ya te lo he dicho. —Ellie suspiró—. Ojalá pudiera retroceder al sábado pasado y no beberme el murciélago —dijo. Me chocó que echara la culpa al murciélago. Se había acostado con Rick mucho antes de lo del murciélago.

—Pensé que te molaba. Al menos, un poco. Que te hacía gracia lo del murciélago petrificado y todo eso.

—Qué va. Hasta temo mirar a mis padres.

—Vi a los antepasados de mi padre devorando a un ciervo enorme. Era muy extraño.

—Ya. Creo que mi madre aún no estaba casada con mi padre por esa época. Estaba desnuda. No quiero hablar de ello.

De modo que las dos habíamos visto a Jasmine Blue desnuda. Y ninguna de las dos queríamos hablar de ello. Apoyé la mano en la manija de la puerta para bajarme del coche y Ellie dijo:

—Oye, Glory.

—¿Qué?

—¿Seguro que no hay ningún problema?

—Seguro.

—Me refiero a entre tú y yo.

Un hecho: yo estaba segura de que dentro de un año ya no seríamos amigas. Pero mentí.

—Eso creo. No lo sé.

—La guerra que ves me aterroriza.

—Está aquí dentro —respondí, dándome un golpecito en la cabeza—. ¿Cómo puedes tener miedo de algo cuando no estamos seguras de que vaya a ocurrir? —Ellie asintió—. Además, suponiendo que sea verdad, tú tendrás hijos y luego serás abuela. Olvídate de todo eso. Déjalo de mi cuenta.

—Me pregunto si Nostradamus se bebió un murciélago petrificado antes de que viera todas esas cosas —dijo Ellie.

Cuando nos bajamos del coche se acercó a mí y me abrazó como si necesitara un abrazo, pero yo no sentía por ella el afecto suficiente para devolvérselo. Fingí que la abrazaba. Lo único que deseaba era ir a mi cuarto oscuro.

Mi cuarto oscuro. No el de Darla. Darla había escrito *Por qué la gente toma fotografías*. Yo escribía *Historia del futuro*. Darla sacaba fotos de su muela y de tocones de árbol. Yo sacaba fotos de cosas que estaban vacías. Formábamos un díptico. Un díptico madre-hija. Ella mataba cosas, y yo mostraba el agujero que dejaba.

—¿Nos veremos más tarde? —preguntó Ellie—. ¿Después de cenar?

—Esta noche salgo con mi padre —respondí—. Quiere llevarme a cenar porque no lo hizo después de la graduación.

—Genial. Entonces nos veremos mañana. Pasaré por tu casa por la mañana. —[Insertar risas de fondo.]

Ellie atravesó la calle y echó a andar hacia la comuna. Yo me maravillé, en especial por la granja, con su gruesa piedra caliza y tejado de pizarra. Tomé una foto. La titulé: *Mía*.

Luego giré la cámara hacia mí y tomé unas cinco fotos de mí misma con mis nuevas gafas con forma de murciélago. Puse cara de desdén. Debajo de la foto escribiría: *Glory O'Brien, furiosa con el mundo*.

Mi padre dijo que quería que fuéramos a cenar a mi restaurante mexicano favorito. No le dije que había pensado pasar la noche en el cuarto oscuro haciendo copias, leyendo y escribiendo la historia del futuro. Quería decírselo. De todas las personas, supuse que él era el único que lo comprendería. Parecía haber consumido hongos psicodélicos al menos una vez en la vida.

Se lo pregunté durante la cena.

—¿Has consumido alguna vez hongos psicodélicos?

Al principio mi padre negó con la cabeza, como suelen hacer las personas cuando quieren decir: «Pero, niña, qué pregunta». Luego dijo:

—Pues claro. Muchas veces. Eran…

—Los noventa —respondí—. Ya lo sé.

—¿Y tú? —preguntó él.

—No.

Pedimos tres platos de comida y la devoramos como si estuviéramos famélicos.

—Esto es muy agradable —dije.

—Sí.

—Por una vez, no parece como si quisieras salir corriendo debido a la gente.

—Genial. Celebro disimularlo tan bien.

Nos reímos. Lo observé y pensé en Peter. Tenía la clara impresión de que algún día se conocerían. O quizá confiaba en ser la chica de los sueños de Peter. En cualquier caso, quería que mi padre lo conociera. Quizá se harían amigos. Peter no hablaba de tonterías. Estaba segura de que a mi padre le caería estupendamente.

El día anterior había conocido a un tío guapo y ya me estaba montando una película. Puse los ojos en blanco mentalmente. *Caramba. Eres peor que Ellie.*

Historia del futuro según Glory O'Brien

Nedrick el Santurrón cometerá errores. Olvidará que hacer volar por los aires a las personas hace que con el tiempo sean más fuertes.

Mientras su ejército está envuelto en una batalla que dura meses, él descuidará a su rebaño en los Nuevos Estados Unidos. La gente empezará a perpetrar actos de sabotaje porque la vida deja mucho que desear sin servicios básicos y con los seres queridos en el exilio. Estallarán centenares de toneladas de munición y tres de sus campos de adiestramiento caerán. Nedrick achacará la culpa a los rebeldes. Buscará una lista de líderes. En la cabeza de la lista figurará el nombre O'Brien.

Pero los jefes del departamento de inteligencia le contarán la verdad. Nedrick pronunciará un discurso acusando a los suyos de traidores. Éstos se sublevarán en todos los estados secesionistas. De su cuartel general se filtrará una historia sobre la noche en que él descubrió esta traición. Declarará: «Como todo buen padre, castigaré a mis hijos».

El K-Duty se volverá entonces contra su propia gente. Ciudades enteras de los Nuevos Estados Unidos se convertirán en campos de concentración. El adiestramiento de soldados se convertirá en un proceso industrial.

Aunque Nedrick fingirá contar con numerosos seguidores, estará solo en el mundo.

El único amigo que le quedará será el hombre de la camioneta roja.

La inocencia vende

Me senté en el cuarto oscuro y leí el final de *Por qué la gente toma fotografías*. No me llevó mucho tiempo porque ya había leído buena parte de él. A excepción de una última entrada semejante a la de un diario, que estaba escrita debajo de una foto polaroid de una luciérnaga muerta.

Anoche no pude conciliar el sueño. Había una luciérnaga en nuestra habitación. La observé durante una hora, hasta que me levanté y fui al baño a hacer pis y la luciérnaga me siguió.

Deja que te hable de nuestro cepillo de dientes.

Es recargable y Roy lo instaló en la pared junto al enchufe. Cuando se carga, se enciende una extraña luz azul que parpadea. ¿Y a que no adivinas qué ocurrió?

La luciérnaga hizo el amor a mi cepillo de dientes.

La observé bailar al principio, tres parpadeos, luego ninguno, luego permaneció suspendida sobre él, otros tres parpadeos, y por fin aterrizó sobre el mango del cepillo de dientes y copuló con él. Eran las dos de la mañana y yo no sabía qué decir. No sabía qué hacer. Contemplé la escena durante un buen rato y luego me senté en el asiento del retrete, deprimida. Porque así somos nosotros. Así somos nosotros, y odio que seamos así, y así eres tú, y así soy yo, y así son todas las jodidas personas que pueden permitirse ser como nosotros. Somos criaturas naturales, bellas y mágicas que nos apareamos con aparatos llamativos.

Volví la página y contemplé la última fotografía de Darla. Era una polaroid de nuestra casa. Debía de ser al atardecer, porque las ventanas presentaban una cálida tonalidad naranja y el revestimiento de la fachada parecía de color amarillo. Parecía como si en la casa no hubiera rastro de Darla, como si ella ya supiera que ésa sería la última fotografía que tomaría de nuestra casa.

Regresé a la página donde había escrito *Tú también eres una pornógrafa* y observé detenidamente el bote de crema antiarrugas que Darla había pegado allí con cinta adhesiva. Era una foto genial. Darla había logrado conferir un aspecto siniestro al bote de crema. El fondo era una sombra, pero no negra. Sólo una sombra extraña y malévola. Como si algo —en este caso, las arrugas— pudiera atacarte y morderte cuando menos te lo esperaras.

Regresé a las fotos pornográficas de mujeres. *Todas. Valéis. Más. Que. Esto.* Cada una de ellas posaba en la postura de rigor, las posturas que yo había visto desde niña. Metiendo la barriga, sacando el pecho, flexionando las pantorrillas, con zapatos de tacón alto y puntiagudo. Dobla un poco las rodillas. Haz un mohín. Muérdete el labio. Asume una expresión inocente.

Asume una expresión inocente.

Asume una expresión inocente.

Porque al margen de la edad que tengas, una expresión inocente resulta sexi. Y ofrecer un aspecto sexi es *todo*. No recordaba haber visto recientemente una foto de una mujer en la que ésta no tratara de ofrecer un aspecto sexi.

De golpe recordé una.

La hucha en la farmacia para la mujer que preparaba y servía el almuerzo en la cafetería del instituto, que padece cáncer de ovarios y no puede costearse el tratamiento médico. Había una foto de ella sentada en una silla que parecía enorme porque ella se había encogido y parecía muy menuda. Estaba calva. Sonreía.

Pero no trataba de ofrecer un aspecto sexi.

No metía la barriga y sacaba el pecho porque estaba demasiado ocupada muriéndose. No era nadie especial y se estaba muriendo. Y nosotras no éramos nadie especial y depositábamos unas monedas con gesto sexi en la hucha cuando pagábamos por nuestra crema antiarrugas en el mostrador de la farmacia.

Mierda.

Todas éramos unas luciérnagas que nos apareábamos con cepillos de dientes.

No era de extrañar que Darla estuviera furiosa con el mundo.

Abrí mi cuaderno de dibujo. Respondí a Darla.

Somos criaturas naturales, bellas y mágicas que estamos tan obsesionadas con ofrecer un aspecto sexi que olvidamos que las luciérnagas son más sexis que nosotras. No he hecho aún el amor con nadie. No sé si lo haré alguna vez. Pero no lo haré con un cepillo de dientes. Te lo prometo.

Me siento como un fantasma

Decidí dar a Ellie una oportunidad. Nunca había compartido nada con ella. No le había revelado mi mayor temor. Mi mayor secreto.

Quizás había optado por ser una persona solitaria.

Dado que sólo eran las ocho y media, decidí ir a la comuna y decirle que estaba furiosa con el mundo. Quizá si podíamos empezar por eso, podría contarle al fin la verdad sobre mí.

Vi las luces encendidas en el gallinero, de modo que me dirigí allí para hablar con ella. Había llevado una manta para que pudiéramos sentarnos en el prado y hablar. Había llevado una bolsa de bocaditos de contrabando oculta en la manta. Doritos. De color naranja fluorescente. Nuestros bocaditos favoritos.

Cuando llegué al gallinero, lo único que vi fue a una de las jóvenes preadolescentes que a veces ayudaba a Ellie a limpiar el corral de los patos. Se llamaba Matilda.

—¿Has visto a Ellie? —pregunté.

—Está en el prado.

—Vale, gracias.

Matilda volvió a ocuparse de las gallinas. Yo me encaminé hacia el prado.

Antes de llegar, vi algo que jamás habría querido ver.

Ellie montada sobre Markus Glenn, el chico que vivía cerca de nosotras y un día me había pedido que le tocara el pito.

Me detuve en seco.

Me volví despacio para que no me vieran, pero antes de que pudiera alejarme, oí gritar a Ellie:

—¡Glory! ¡Vuelve!

Pero yo seguí andando.

No estaba celosa.

No estaba furiosa con ellos. Estaba furiosa con el mundo.

¿Por qué no iba a estar furiosa con el mundo? El mundo permitía que las luciérnagas follaran con cepillos de dientes. El mundo estaba lleno de mierda.

—¡Glory! —gritó Ellie—. ¡Para! ¡Espera!

No me volví. En esos momentos no me apetecía hablar de nada con Ellie. Sabía lo que iba a sucederles a sus nietos. Se convertirían en esclavos del aparato, una mano siniestra que por la noche alargaba los dedos y robaba vidas.

De pronto sentí que Ellie me agarraba del hombro.

—En serio. Para, por favor.

Me paré y me giré hacia ella. La bolsa de Doritos se cayó de la manta.

—¿Qué? —inquirió Ellie.

Yo no dije nada.

—Dijiste que haríamos una bonita pareja —añadió ella.

Yo no dije nada.

—¿Cuál es tu problema?

Pensé en la respuesta.

—Estoy furiosa con el mundo —respondí.

—Mierda —replicó ella.

—Vine para hablar contigo del tema —expliqué—. Matilda me dijo que estabas en el prado. No supuse que estarías follando con él..., pero ya veo que no pierdes el tiempo.

Ellie cruzó los brazos y se puso a llorar bajito. Tenía el vestido torcido y me pregunté si llevaba ropa interior. No sé por qué lo pensé, pero quizás era lógico que lo pensara.

—No estoy enfadada contigo —dije—. Vine para hablarte de otra cosa y no me esperaba contemplar ese espectáculo. Eso es todo.

El silencio que cayó entre nosotras no era tenso. Era simplemente silencio.

—Quiero que todo eso desaparezca —dijo—. Todo.

—Yo también —respondí. Éramos tan cobardes. Nos hallábamos a bordo de un tren en marcha, y en lugar de asomar la cabeza por la ventanilla y gritar *yupiiiiiiii*, nos quejábamos.

Ellie y yo permanecimos unos segundos junto a la carretera y oímos que se acercaba un coche, y entonces vimos sus faros y lo observamos pasar de largo, y los niños sentados en el asiento posterior nos miraron como si fuéramos fantasmas.

Yo me sentía como un fantasma.

Ellie probablemente también.

De repente suspiró y rompió a llorar.

—Piensas que soy una golfa.

—No —respondí. Pero era mentira. Pensaba que era una golfa. Eso hizo que me echara a llorar.

Ellie me miró.

—¿Por qué lloras?

Meneé la cabeza.

—Estoy furiosa con el mundo —contesté—. Vuelve —dije, señalando el prado—. Buenas noches.

—¿Y tú qué vas a hacer? —preguntó Ellie.

—Nos veremos por la mañana —contesté—. ¿Recuerdas?

Ella asintió con la cabeza y se volvió hacia el prado. Mientras la observaba alejarse pensé en Peter y en que Ellie había flirteado con él. Ellie había flirteado con todo el mundo desde que yo tenía uso de razón.

No sólo ella. Todas las chicas del instituto lo hacían.

De alguna forma, el que Darla hiciera lo que había hecho me había salvado de eso. Cuando eché a andar de nuevo hacia el porche, me sentí aliviada. Había estado tan preocupada pensando en si me convertiría en Darla —esforzándome en parecer la viva imagen de la vaciedad—, que había olvidado las expectativas que la sociedad tenía con respecto a mí.

Al pensar eso sonreí.

¿Llegaban todos los marginados a esta constatación en algún momento de su vida? ¿Era un hecho positivo ser un marginado en una sociedad falsa y pornográfica? Confiaba en que sí. Confiaba en que en esos momentos hubiera una legión de marginados sonriendo satisfechos.

No soy normal

Me levanté de nuevo al amanecer. Llevaba varios días despertándome a las seis. Supongo que es cuestión de hábito.

Me senté en el porche y contemplé la comuna. *Mi comuna.* No era una persona codiciosa ni quería perjudicar a Jasmine o a Ellie o a las familias de la comuna al recuperar el terreno.

Quizás en parte quería lastimar a Jasmine por lo que les había hecho a mi padre y a Darla, pero era una cuestión más lógica que eso.

Ese terreno nos pertenecía.

Creía que debíamos recuperarlo, por nuestro bien.

Si mi padre quería mudarse a California o a Vermont, lo necesitaría. Si se moría al día siguiente, el problema tendría que resolverlo yo. No me importaba que Ellie no volviera a dirigirme la palabra. No me importaba que a Jasmine le diera un ataque. El terreno era nuestro. Lo complicado sería convencer a mi padre, que se conformaba con dejar las cosas como estaban para evitar tener que hacer algo al respecto. Probablemente le recordaba lo sucedido. Probablemente le recordaba todo.

Sobre las ocho, Ellie me vio en el porche y se acercó.

—Volveré a las nueve, ¿te parece bien? Tengo el doble de trabajo por haberme ausentado ayer. Mi madre es una friqui.

—Hoy no tengo ganas, Ellie.

—¿Por qué?

—Quiero estar sola —respondí. Al decir eso, observé que ella pensaba en lo que había ocurrido la última vez que nos habíamos visto. Confié en que recordara que yo estaba furiosa con el mundo. Confié en que me preguntara si me había pasado el berrinche.

—Es debido a lo de Markus, ¿verdad?

Yo guardé silencio.

—Dios, Glory. ¿Qué me pasa? ¿Por qué no puedo ser una chica normal como tú?

—Yo no soy normal —contesté.

—Eres como mi madre quiere que sea yo.

—A tu madre no le caigo bien. Porque me parezco a mi madre.

—Las dos nos parecemos a nuestras madres —respondió Ellie—. Mierda. Espero que eso no signifique que vamos a hacer lo que hicieron ellas.

—¿A qué te refieres?

—A que rompieron —contestó—. Yo no quiero romper contigo.

—No creo que tú y yo rompamos. Lo que las llevó a romper su amistad fue algo muy gordo, que no puede suceder entre nosotras.

—¿Por qué fue? —preguntó Ellie.

—¿Qué?

—¿Por qué rompieron su amistad?

Dado que no podía contar a Ellie la verdad, dije lo primero que se me ocurrió.

—Por el terreno.

Ella ladeó la cabeza.

—¿Qué terreno?

—El terreno en el que vives. La comuna. Ese terreno era de mi madre —dije, señalando su casa.

—¿Así que se pelearon a causa del precio del terreno?

—Bueno, no —respondí—. Tus padres no se lo compraron a mi madre. Sigue siendo nuestro.

—¿Qué?

—El terreno.

—¿Sigue siendo vuestro? ¿Nos lo habéis arrendado? —preguntó Ellie.

—No pagáis arrendamiento.

Creo que a Ellie le sentó mal, pero no tan mal como si yo le hubiera revelado el verdadero motivo por el que nuestras madres habían dejado de hablarse.

Nos quedamos un minuto en silencio, mirando su casa. Supongo que Ellie le estaba dando vueltas al tema, tratando de asimilarlo. Yo seguía esperando que me preguntara si se me había pasado el berrinche. Como no lo hizo, cambié de tema.

—¿Qué hay entre tú y Markus Glenn? —pregunté—. ¿Es menos gilipollas que cuando íbamos a segundo de secundaria?

—Anoche… estuvo un poco raro conmigo —respondió Ellie.

—¿En qué sentido?

—Es un pervertido.

Yo me reí un poco.

—¿Ahora te enteras?

—No, claro, pero me refiero a que ni siquiera me besó. Sólo prestaba atención a mis tetas.

—¿Prestaba atención? Qué romántico.

Ellie, en broma, me dio un golpe en el brazo.

—No tiene gracia. Fue bastante rarito. Era como si el resto de mí no existiera. Sólo… eso.

—Tus tetas.

—Sí.

Yo suspiré.

—Seguramente ha visto tanto porno sobre tetas que se han convertido para él en personas o algo por el estilo.

—Ya.

—¿Les puso nombres? —pregunté, riéndome.

Ellie soltó una carcajada.

—Basta.

—¿Lo hizo o no?

—Esta noche vendrá a la fiesta de las estrellas.

Yo no cuestionaba los motivos que tenía Ellie para comportarse como lo hacía ni su cordura. Quizás eso era lo que hacían las chicas normales. Y yo hacía lo que hacen otras chicas normales. En el mundo hay miles de millones de chicas. Al igual que las estrellas, todas somos distintas.

—¿Sigo estando invitada? —pregunté.

—Pues claro —respondió ella.

Ellie regresó a la comuna y la vi alejarse y me pregunté cuántas veces se había sentado Darla en este porche observando a Jasmine regresar a la comuna. Me pregunté si Darla también había querido recuperar su terreno.

El sistema de zonas no incluía una zona que representara cómo me sentía yo en esos momentos. Era un contraste muy acusado: todo consistía en negros y blancos, sin grises. Yo era como una litografía.

Mi zona cero era negro máximo: *Joder, vivo junto a una pandilla de friquis adictos al sexo y mi madre se suicidó después de que una de esas friquis adictas al sexo enviara a mi padre unas fotos en las que aparecía desnuda. O, dicho de otro modo: soy una figurante en una grotesca película sobre unos hippies okupas adictos al sexo. No me merezco esto.*

Mi zona diez era un blanco sobreexpuesto: *Probablemente soy la persona más cuerda que conozco, pese a que mi madre se suicidó cuando yo tenía cuatro años. Como platos preparados en el microondas y vivo frente a unos hippies okupas. En comparación con mi amiga adicta al sexo, soy una auténtica ganadora.*

Entré en casa y me duché. Después de ducharme, me tumbé en la cama y traté de dormir un rato. Pero no hacía más que pensar en las transmisiones y en que un día sin ellas era mejor que pasar un día en el centro comercial con Ellie. Aunque eso significara no volver a ver a Peter. Aunque significara que no veía al tipo del USS *Pledge*, quien quizá tenía las respuestas que yo buscaba.

Después de permanecer una hora debajo de las sábanas sin pegar ojo, me levanté, me vestí y escribí un capítulo en mi cuaderno sobre algunas de las transmisiones que había visto el día anterior en el centro comercial. Luego abrí mi ordenador y esperé a que se inicializara.

Quería informarme sobre el USS *Pledge*.

Quería informarme sobre las leyes con respecto a los okupas en Pensilvania.

Historia del futuro según Glory O'Brien

La Compañía Hurón caerá. Noche tras noche, el hombre de la camioneta roja regresará al cuartel general e informará a Nedrick el Santurrón de que los campamentos de exiliados en el bosque están vacíos. No saben nada sobre los túneles.

Mientras Nedrick trata de mantener su campaña, que ha fracasado, sus Nuevos Estados Unidos se desmoronarán. Los campamentos reproductores caerán pocos meses después de haber sido establecidos; sus residentes les prenderán fuego al huir de ellos. El ejército de los Nuevos Estados Unidos estará dividido. Algunos seguirán a Nedrick porque tienen miedo. Otros desertarán. Algunos morirán asesinados por la Francotiradora.

La Francotiradora sabrá dónde localizarlos, en grupos. Estará al tanto de sus reuniones y sus escondrijos. Saldrá de su escondite bajo tierra en el lugar preciso, justo detrás de las líneas enemigas.

Los exiliados han comprendido, después de vivir en los árboles durante años, que su única esperanza es construir túneles. O quizá sea su perdición. No están seguros. Pero no tienen nada que perder, de modo que se pondrán a cavar túneles.

Vista de espaldas, la Francotiradora me resulta familiar. Lleva unas botas con un agujero en la suela derecha. Suele estar cubierta de tierra. Es un personaje interesante.

Dragaminas

El USS *Pledge* era uno de dos dragaminas. O bien era el que se había hundido durante la guerra de Corea o el que había combatido en la guerra de Vietnam y había sido vendido a Taiwán, en 1994, por veintiún mil doscientos sesenta y tres dólares con ochenta centavos.

Cuando consulté los derechos de los okupas, no pensé que encontraría nada. Sólo había oído ese término en relación a casas abandonadas en la ciudad. Principalmente lugares donde venden *crack*. Pero averigüé que los okupas tienen derechos en Pensilvania. Si una persona utiliza o vive en un terreno durante veintiún años sin que el dueño del mismo le conmine a que lo abandone mediante un documento legal, ésta puede reivindicar su derecho a quedarse con el terreno y un tribunal puede concedérselo.

Jasmine Blue Heffner no tenía un pelo de tonta. En esos momentos, mientras yo estaba en mi sala de estar escribiendo la historia del futuro e informándome sobre buques de la Marina, ella probablemente estaba redactando un documento reivindicando su derecho a quedarse con el terreno. Pero por lo que yo había leído, lo único que tenía que hacer mi padre era enviarle una carta certificada comunicándole que sabía que Jasmine era una intrusa y no podía arrebatarnos el terreno.

De modo que me puse a escribir enseguida la carta.

Utilicé un ejemplo que encontré en Internet.

Estimada Jasmine Blue Heffner:

Has invadido un terreno de mi propiedad, ubicado en el número 33 de Blue Pond Way, en el que llevas viviendo desde junio de 1995. Si no renuncias a permanecer en él, presentaré una demanda contra ti por haber invadido ilegalmente mi propiedad.

Afectuosamente,

Glory O'Brien.

Imprimí la carta, la doblé y la dejé en mi mesa, donde unos días antes había estado el cheque de cincuenta mil dólares.

————

Ellie se presentó después de comer. Le dije que por la tarde quería ir a la biblioteca para documentarme sobre la guerra de Secesión y averiguar qué podíamos hacer para detener la segunda. Era una mentira por si ella me proponía que saliéramos. Había aprendido a mentir a Ellie con gran habilidad. Ni siquiera tuve que desviar la mirada.

—¿Por qué te interesa tanto esa guerra? Te aseguro que son cosas de nuestra imaginación. Son inventos inducidos por el murciélago petrificado.

—No lo sé —respondí—. Supongo que no estoy segura.

—¿No estás segura de si las alucinaciones que tenemos desde que nos bebimos el murciélago muerto son reales?

—Algunas de las cosas que he visto son reales.

—¿Por ejemplo?

—La mayor parte de las cosas del pasado. Como la familia y la historia de mi padre. Y lo de Rick. Sus hijos. Y muchas otras cosas.

—¿Pero las cosas del futuro quizá sean falsas?

—¿Por qué iban a serlo?

—¿Por qué no? —replicó ella, malhumorada.

—¿Hay algún problema? —pregunté—. Porque tengo la impresión de que esta mañana todo iba bien y ahora te comportas como si yo fuera una cabrona y, vale, de acuerdo, pero preferiría que me dijeras qué te pasa.

Ellie inspiró con gesto melodramático.

—Lo siento.

—¿Y?

Inspiró de nuevo con gesto melodramático.

—Acerca de lo que me dijiste antes. Que no pagamos arrendamiento. ¿Es verdad?

—Sí.

—¿De modo que vivimos de gorra?

—Supongo que sí. No estoy segura de lo que significa. Quiero decir que sé lo que significa «vivir de gorra», pero no sé qué arreglo tenía tu madre con la mía. Seguramente no es nada que deba preocuparte.

—Mierda. Tu madre debía de ser una buenaza por cederle ese terreno a Jasmine. Ella nunca habla del tema.

Mi cerebro dijo: «Ya lo supongo». Mi boca guardó silencio.

—Debe de ser duro para tu padre y para ti haberla perdido —dijo Ellie.

Me alegré de que al fin lo dijera. Pero al mismo tiempo sabía que no lo había hecho hasta que habíamos cumplido diecisiete años, y eso era lo máximo a lo que había llegado. Decidí zanjar el tema en ese momento. En mi cabeza, habíamos dejado de ser amigas. Podíamos valorar los años que habíamos compartido. Podíamos valorar nuestro pasado. Pero Ellie no estaría presente en mi futuro. Yo controlaba mi futuro.

Libérate. Ten el valor de hacerlo. ¿Te suena?

El pasado no siempre tiene que ser el presente.

El presente no siempre tiene que ser el futuro.

Cerveza

Cuando Ellie se marchó, entré en casa y me senté en la amplia poltrona verde situada frente al sofá y observé a mi padre mientras trabajaba. Musitó algo sobre gente que preguntaba tonterías y se alegró cuando terminó la llamada. El aire acondicionado estaba puesto en FRÍO POLAR

—¿Me necesitas, Bizcochito?

—Sólo cuando dispongas de un segundo —respondí.

Mi padre siguió tecleando unos momentos y dijo:

—En cuanto envíe el enlace a esta mujer, estaré por ti.

—De acuerdo.

Yo llevaba mi *Historia del futuro* y releí el capítulo sobre la Francotiradora que había escrito esa mañana. Seguía intrigada. Había algo en ella que me hacía pensar que era la persona que se encontraría en el túnel con el descendiente del tipo del USS *Pledge*. Quizá fuera mi hija o mi nieta.

—¿Va todo bien? —preguntó mi padre, esperando un pitido del ordenador que le indicara que la clienta había cerrado la sesión.

—Sí. Sólo quiero hacerte unas cuantas preguntas —respondí.

Esta vez mi padre no parecía asustado. Las dos últimas veces sí lo parecía.

Es posible que el hecho de hablar conmigo también le beneficiara a él. Habíamos esperado *trece años* para hacerlo.

Cuando terminó de enviar el enlace y sonó el pitido, dejó el ordenador, se levantó para prepararse un burrito en el microondas y un pequeño bol de tortilla de *chips* y crema agria. También cogió una cerveza.

Nunca bebía cerveza.

Eso me sorprendió tanto que pregunté:

—¿Una cerveza?

Mi padre comió un bocado de su burrito mojado en crema agria y respondió:

—Me dijiste que debía probar cosas nuevas.

—Ah, ¿sí? —Yo recordaba haberle dicho que quería que volviera a pintar. No recordaba haberle dicho nada sobre la cerveza.

—¿Quieres una? —preguntó.

La cerveza me recordó la noche del sábado y el murciélago. No creo que volviera a tomarme una en la vida.

—No, gracias.

—Bueno, ¿de qué se trata? —preguntó mi padre—. Un mensajero de UPS ha traído hoy tu material para el cuarto oscuro. —Mi padre señaló la mesa que antes utilizábamos para comer—. Te he comprado papel de tres tamaños distintos. No estaba seguro de si querías el de cuarenta por cincuenta, pero decidí incluirlo.

—Gracias —contesté. Luego saqué la carta de mi bolsillo—. Hoy he consultado una cosa en Internet. Creo que debes estar informado del tema. —Le entregué la carta y él empezó a leerla—. Si no se la enviamos ahora, Jasmine puede arrebatarnos el terreno. No creo que debamos permitir que se lo quede. No me importa si eso rompe mi amistad con Ellie.

Mi padre terminó de leer la carta y luego la releyó. Observé que sus ojos se trasladaban de nuevo al extremo superior izquierdo del papel.

—Como es natural, tienes que firmarla tú —dije—. El terreno no es mío.

—Mierda. No puedo hacerlo, hija.

Lo miré perpleja.

—Detesto pelearme. Detesto a Jasmine. La mezcla de ambas cosas es demasiado para mí.

—Pueden arrebatártelo todo. La casa, el terreno, el granero.

Todo. Y dentro de poco. Quizá dentro de un año. Cuando se cumplan veintiún años desde la fecha en que se lo cedisteis.

Mi padre caviló y emitió unos sonidos guturales.

—Ya lo pensaré —dijo, dejando caer la carta sobre sus rodillas.

Yo lo miré. Sus gestos eran torpes. Estaba claro que su límite era una cerveza.

—No entiendo por qué le tienes miedo a Jasmine —repliqué.

Él meneó la cabeza.

—No le tengo miedo —respondió—. Es su hogar. Donde ha criado a su hija. ¿Cómo te sentirías si alguien te arrebatara esta casa? No puedo hacerle eso.

—Tú compraste esta casa —apunté.

—La compró tu madre. Yo no tenía un orinal en el que mear.

—Entonces cédeme la escritura del terreno y yo se lo reclamaré.

Mi padre me miró receloso.

Yo lo miré recelosa.

—¿Ha ocurrido algo entre tú y Ellie? ¿Te has enfadado con ella? Ignórala, simplemente, como yo los ignoro a ellos. No es necesario que perjudiques a nadie —dijo mi padre.

—No quiero perjudicar a nadie. Sólo quiero recuperar lo que es nuestro. Es importante.

Mi padre arrugó el ceño.

—No te eduqué para que pensaras de este modo.

—California, ¿recuerdas? ¿Las islas Vírgenes? —respondí—. No puedes vender esta casa sin recuperar el terreno. —Miré alrededor de la habitación. Vi las fotografías. El televisor. El sofá. La camiseta teñida de colores de mi padre. Vi sobre la mesa el nuevo material para el cuarto oscuro, esperando ser expuesto y revelado—. Quiero que sigamos adelante con nuestra vida, papá. Quiero que hagamos lo que mamá hubiera querido que hiciéramos. Quiero que pintes, y yo hacerme adulta y tener una vida. No quiero quedarme atascada en un punto muerto. No quiero seguir comiendo cosas preparadas en el microondas. Quiero ir a la universidad. Quiero ser *alguien*. Quiero hacer algo que *merezca la pena*.

Mi padre me miró sorprendido. O contento. O pensativo.

—Piensa en ello, ¿vale? —Señalé la carta que se le había caído sobre las rodillas—. Sé que te parece mal. Sé que te parece...

—¿Vengativo?

—Sí. Pero no lo es. Ni siquiera es mezquino. ¿Sabes qué es mezquino? Usurpar el terreno de otra persona durante diecinueve años y no darle siquiera las gracias. Lo mezquino es saber que basta con que esperes un tiempo para poder arrebatárselo. Eso es mezquino. Esto es duro y parece mezquino, pero no lo es.

—Son muchas cosas.

—Piensa en ello.

—De acuerdo.

Llevé mis nuevas cajas de papel al cuarto oscuro pero no imprimí nada. Me quedé sentada en un taburete, mirando a mi alrededor. Miré la muela y, por alguna razón, deseé tocarla. Formaba parte de Darla. Podía contarle cosas. Me procuraría renovadas energías mientras escribía otra entrada en *Historia del futuro*.

Me subí en el taburete y desenganché la muela del techo. Cuando volví a sentarme, retiré el mensaje —*No vivir tu vida es como suicidarte, sólo que lleva más tiempo*— y lo clavé en la puerta. Sostuve la muela en las manos. Alguien había practicado un diminuto orificio y había ensartado el cordel rojo a través de él. Las raíces eran largas, gruesas y feas.

El resto de Darla había sido incinerado y sus cenizas guardadas para ser diseminadas junto con las de mi padre en el mar Caribe, donde habían pasado su luna de miel. Yo no tenía dónde visitarla cuando sentía ganas de llorar su muerte. No tenía una lápida a la que abrazarme o un sitio donde depositar flores. De modo que sostuve la muela en la mano y mantuve una conversación imaginaria con Darla.

YO: ¿Por qué no debo arrojarlos del terreno?

DARLA: Porque entonces Jasmine ganaría.

YO: ¿Qué es lo que ganaría Jasmine?

DARLA: Se convertiría en el paradigma de los no consumistas. En el paradigma de los *hippies*.

YO: ¿Me estás vacilando?

DARLA: No.

YO: Es una gorrona, mamá.

DARLA: Pero una gorrona muy lista.

Subí de nuevo y volví a sentarme en la poltrona verde. Mi padre levantó la vista de su ordenador portátil.

—¿Tu actitud es una especie de prueba de resistencia *hippy*? ¿Temes que si pides que te devuelvan tu terreno te convertirás en un consumista y ella habrá ganado?

Mi padre ladeó la cabeza.

—Más o menos.

Lo miré. En primer lugar, me pregunté si la conversación imaginaria que acababa de mantener con Darla había sido realmente con Darla. Estaba segura de que no. Lo que ocurre es que pienso como Darla.

Qué le vamos a hacer.

Entonces recibí una transmisión de mi padre.

Mi padre morirá a una edad muy avanzada. Yo estaré a su lado. Yo también seré vieja. Me abrazará y me dirá que se siente orgulloso de lo que he hecho. Yo llevaré un pañuelo alrededor de la cabeza.

Eso era tremendo. Estuve a punto de romper a llorar. *¿Yo me haría vieja? ¿Vieja, vieja?*

El pañuelo alrededor de la cabeza me preocupaba. Parecía como si lo llevara a modo de venda, no como un accesorio de moda.

—Me miras como si estuviera loco —dijo mi padre.

—Y lo estás.

Él sacudió la cabeza.

—Esta mañana he mirado esa ley —añadí—. Ella se quedará con todo. El terreno, la casa, el granero. De ese modo habrá conseguido apoderarse de ti, como siempre había deseado. A mamá no le haría ninguna gracia. Al margen de que seas un consumista o no.

—Tengo que seguir trabajando —dijo mi padre.

Regresé a mi habitación y abrí mi cuaderno de dibujo.

Lo abrí por la página que ponía *Tarro vacío*.

Me pregunté: «¿Qué guardarás en tu tarro, Glory?»

Historia del futuro según Glory O'Brien

La Francotiradora casi matará a Nedrick el Santurrón en dos ocasiones. La primera, cuando él pase frente a ella montado en la camioneta roja de su mejor amigo. La segunda, cerca de su casa, y él enviará a sus perros hacia el lugar donde habrá sonado el disparo.

La Francotiradora saldrá con vida de la escaramuza, pero los perros descubrirán el túnel.

Durante la semana siguiente, el ejército del Gobierno recuperará la mayoría de los estados y los residentes se alegrarán de ello. Serán liberados de los campos. Los niños se reunirán con sus madres. Las esposas se reunirán con sus maridos.

La Compañía Hurón será desmantelada. El K-Duty dejará de existir. Todos los varones estadounidenses en buen estado físico tendrán que presentarse ante las autoridades del último estado gobernado por Nedrick el Santurrón y se dispondrán a librar una última batalla, que saben que perderán, pero lo harán de todos modos.

Los exiliados emprenderán la larga marcha de regreso a su hogar. Parecerán fantasmas después de tres años de guerra y hambre. Los niños guardarán un silencio sobrecogedor. La Francotiradora se ocultará en los túneles con sus rebeldes. Su marido colocará explosivos en territorio enemigo. Ella limpiará su rifle. Esperarán en silencio mientras las tropas marchan sobre sus cabezas. Esperarán el momento oportuno. Hasta estar seguros.

¿Cómo está Glory?

Ellie me llamó esa tarde a las seis para decirme que necesitaba que la ayudara con las gallinas porque tenía poco tiempo y se perdería su fiesta si no terminaba sus quehaceres. [Insertar risas de fondo.] Su llamada me irritó porque estaba haciendo la siesta, pero me levanté, atravesé la calle y contemplé maravillada el crepúsculo.

Algunos piensan que todos los crepúsculos son muy coloridos, pero no es así. Algunos lo son más que otros. Ése era muy colorido. Empezó con el cielo azul, que mudó a verde y luego a púrpura y luego a rosa y luego a naranja y luego adquirió un color rojo intenso sobre el horizonte. Creo que era el crepúsculo más colorido que yo había visto jamás.

Ignoraba que sería el último crepúsculo que viera como Negro Máximo el murciélago.

Pero quizá fue por eso que me pareció tan colorido.

En primer lugar me tropecé con Jasmine Blue.

—¿Cómo está Glory? —preguntó.

Yo la miré. De hito en hito.

—Glory está genial. ¿Cómo está Jasmine?

Mi desparpajo pareció sorprenderla.

—Jasmine está perfectamente —respondió—. Pero tiene que ir a abrir el cobertizo donde guardamos los tambores.

Tenían un cobertizo para los tambores. Un cobertizo no consumista para tambores no podía ser un cobertizo para tambores y no podía contener tambores porque éstos son bienes y todos los bienes son perniciosos, ¿no? Quizá tenía que replantearme el significado del término no consumista. O quizá tenía que hacerlo Jasmine.

Cuando me encontré con Ellie, había terminado de limpiar el gallinero. Mezcló un montón de virutas con paja y extendió la mezcla sobre el suelo, que espolvoreó con unos extraños polvos que contribuyen a que las gallinas no cojan pulgas.

Comunas. Supongo que es el lugar más propicio para que aniden parásitos.

Cuando nos dirigimos hacia su casa observé que aún no habían comenzado los preparativos para la fiesta de las estrellas. No habían dispuesto las mesas ni las sillas. Ni siguiera habían encendido una hoguera.

Después de lavarnos las manos en el lavabo exterior, Ellie me dijo que tenía que entrar un momento y me pidió que la esperara.

Mientras me estaba secando las manos con mi pantalón corto, se acercó Rick.

—Ellie dice que tiene novio —dijo—. A Jasmine no le hará ninguna gracia.

—¿A Jasmine? ¿O a ti? —pregunté.

Entonces lo miré. Transmisión de Rick: *Su abuelo iba a bordo del USS* Pledge *cuando chocó con una mina y se hundió en el puerto de Wonsan, Corea, en 1950. Él y sus compañeros fueron rescatados por otro barco, pero el abuelo de Rick se hallaba en la zona más peligrosa del buque cuando chocaron con la mina y se le clavó un pedazo enorme de acero en la espalda. Cuando le dieron el alta en el hospital de Virginia, de regreso a casa, le habían administrado la extremaunción dos veces, le habían dicho que perdería ambas piernas y le habían advertido que viviría pocos años en una silla de ruedas antes de morir a causa de una infección que no podría vencer. Lo cierto es que viviría setenta y cuatro años más, hasta cumplir los noventa y tres. Le chiflaban los calzoni que servían en la pizzería del centro comercial.*

LIBRO CUARTO

Restos del futuro

El proceso de hacerte adulto se parece un poco a hallarte a bordo de un tren en marcha. No puedes hacer nada al respecto, y comienza cuando naces. El murciélago no tenía voz ni voto. Nosotras no teníamos voz ni voto. Tú no tienes voz ni voto.

¿Quién podía preverlo?

Ellie salió de su casa, fulminó con la mirada a Rick, que se alejó en cuanto ella apareció, y me preguntó:

—¿Tienes un minuto?

—He venido, ¿no?

Miré a mi alrededor. Al parecer, éramos las únicas personas que estábamos allí. La puerta del cobertizo donde guardaban los tambores estaba cerrada. Las luces estaban encendidas en la mayoría de las autocaravanas aparcadas en la parte posterior. Quizá Jasmine había desconvocado la fiesta. Alcé la vista y miré el cielo. Estaba despejado. Miré a Ellie.

—Tengo que hablarte sobre algo importante —susurró.

—De acuerdo —respondí, bajando también la voz.

—Aquí no —murmuró Ellie—. No es prudente hablar de ello aquí.

—No hay nadie.

—Pero están aquí. Siempre están aquí.

—Ah —dije.

—¿Podemos ir a tu casa?

Ellie echo a andar hacia mi casa y la seguí. Cuando me disponía a dirigirme hacia la puerta trasera, ella se dirigió hacia la puerta principal, lo cual me chocó. Nunca utilizábamos la puerta principal.

Ellie no se molestó en llamar. Entró directamente. Y en esa fracción de segundo, la vi como Jasmine, apoderándose de lo que le pertenece a otra sin el menor recato, aunque se trate de tu marido.

De repente el sonido de demasiadas personas gritando «¡Sorpresa!» hizo que me detuviera en seco. La que gritaba más fuerte era Ellie.

Mi tía Amy estaba allí, en primera fila. Abrió los brazos y yo la abracé, y entonces vi que había globos y serpentinas y todo tipo de adornos para una fiesta que yo no había visto nunca en nuestra casa.

Jasmine también estaba presente. Y Ed Heffner. Y Rick. (Y quién sabe cuántos jupiterinos). Y probablemente todos los miembros del club del anuario. Stacy Cullen había traído a un grupo de amigos míos de primero de primaria y había dos chicos con los que yo había compartido aula. Extraños. Pero extraños que estaban en mi casa.

—Ostras —exclamé.

Fue lo único que dije.

—Ostras —repetí.

Entonces vi a mi padre, que se había enfundado un pantalón corto como Dios manda. Me sonrió con gesto angustiado, como si se sintiera confundido, y yo sonreí también angustiada y confundida.

Creo que principalmente nos chocaba que Jasmine Blue Heffner estuviera en nuestra casa.

Mi tía Amy dijo algo como «¡Me parece increíble que te hayas graduado!», o «¡Nos sentimos muy orgullosos de ti!» o «¡Hay que ver cómo pasa el tiempo!». Todo en un abrir y cerrar de ojos. Estaba más amable de como yo la recordaba. Seguía mostrando el canalillo entre sus tetas siliconadas, pero qué más daba.

Transmisión de mi tía Amy: *Su hijo se casará con una chica judía y se convertirá a esa fe, y a la tía Amy no le importará en absoluto.*

—¿Has visto tu tarta? —me preguntó, señalando una tarta.

—¿Quién ha organizado esto? —pregunté, mirando a mi padre, que se abría paso entre los extraños para abrazarme. No recibí ninguna transmisión de él porque yo tenía la vista fija en su frente, confiando en disfrutar de una velada sin transmisiones.

—Yo no he sido, Bizcochito —respondió mi padre—. Me dijiste que no lo hiciera, ¿recuerdas?

Yo quería decirle: «Te lo dije por un motivo. Mantente al acecho por si los de la comuna van al baño o se sientan en el sofá».

—Ha sido más bien cosa de Ellie —dijo mi tía Amy—. La llamé y me indicó a quién debía invitar y...

Din don.

Mi padre fue a abrir. Eran otros dos chicos del instituto; uno era el novio de Stacy Cullen y el otro su amigo. Le oí murmurar: «¿Hay cerveza?»

Ellie estaba en un rincón de la sala de estar con Rick. Conversaban animadamente y me sentí fatal por haberme enfadado con ella, aunque seguía enfadada con ella. Además, tenía que darle las gracias por haber organizado la fiesta aunque no quería que lo hiciera.

O puede que sí quería que organizara una fiesta para mí. Estaba hecha un lío.

Ni siquiera sabía divertirme. Se me ocurrió en ese momento, en medio de una sala de estar llena de personas que habían venido generosamente a mi casa y me habían dejado un montón de tarjetas y regalos. No sabía divertirme.

Me acerqué a Ellie y dije:

—¡Gracias!

Ella sonrió.

—Pensé que me matarías cuando oyeras gritar «¡Sorpresa!»

—No. Es estupendo. De veras.

—Tienes que celebrar tu graduación —dijo ella—. Es un acontecimiento muy importante.

—Supongo que sí.

Ellie sacudió la cabeza, un poco decepcionada.

—Es un billete para irte de aquí, Glory. —Hasta Rick asintió con gesto de aprobación—. Es un billete para lo próximo que suceda en tu futuro.

—Sí. Desde luego —respondí.

—Pero no te precipites —añadió Ellie—. No dejes que esos idiotas obsesionados con ir a la universidad hagan que te sientas mal por lo que decidas hacer.

Eso me hizo reír.

—Muchas gracias.

—Dáselas a tu tía —respondió Ellie—. Lo ha pagado todo.

Me acerqué a mi tía Amy, que estaba hablando con Ed Heffner y mi padre. Sonrió como si yo fuera su hija. Quizá se alegraba de poder aportarme al fin cierta normalidad.

Conversaban animadamente —ignoro sobre qué—, pero le di un rápido abrazo y ella captó el motivo.

Alguien había colocado juegos de salón en diversos lugares. Los miembros del club del anuario se disponían a jugar al Trivial Pursuit de La Guerra de las Galaxias en el patio trasero. Nadie se mostraba decepcionado de que no hubiera cerveza. Alguien se las había ingeniado para que sonara una música en su teléfono móvil. En el centro de las mesas había dos velas de aceite esencial de toronjil encendidas. Yo observé cómo se divertían todos. En mi casa. Me produjo una sensación extraña.

—Si pudiera, yo también me tomaría un año sabático antes de empezar la universidad —comentó Stacy Cullen. Sin venir a cuento. De sopetón. A mi espalda—. Mola que tu padre te permita hacerlo.

—Mi padre es un tío guay.

—Te ha sorprendido, ¿verdad? —me preguntó Stacy—. Me refiero a esta fiesta.

—Aún no me he repuesto —respondí, observando cómo jugaban al Trivial Pursuit.

—No muchas personas se sorprenden de que les ofrezcan una fiesta de graduación.

—Debo de ser rara. ¿Qué quieres que te diga?

—No eres rara —protestó Stacy—. Apuesto a que la mitad de la clase de graduación querría ser tan guay como tú.

Yo me reí.

—No creo haber sido guay en mi vida.

—Tonterías. Claro que lo eres.

Supuse que debía responder algo, pero en vez de ello pensé: «¿Soy realmente guay?» En ese momento apareció el novio de Stacy y ella le preguntó si quería jugar al juego de la VIDA y entraron de nuevo en casa.

—¿Dónde está tu anuario, Glory? —me preguntó uno de los chicos del club del anuario.

—No sé. Probablemente en mi habitación.

—No lo he firmado —dijo.

—Da lo mismo —respondí—. No te preocupes.

—Eh, yo tampoco lo he firmado —soltó alguien.

—Yo tampoco —terció otro miembro del club del anuario.

Mi padre puso música de Led Zeppelin a todo volumen dentro de la casa y pensé decirle que lo bajara, pero entonces se me ocurrió que si la música estaba alta, no tendría que hablar tanto.

—¡Ve a buscarlo! —dijo alguien, supongo que refiriéndose a mi anuario. Pero no lo hice.

En lugar de ello, entré en la cocina, donde mi tía Amy había preparado aperitivos, algunos comprados en la tienda de dietética para la gente de la comuna y otros para los demás. Había rizos de queso.

Y refrescos de zarzaparrilla.

Abrí un refresco de zarzaparrilla, tomé el bol de rizos de queso y salí con ellos. Supuse que si tenía las manos ocupadas, nadie volvería a pedirme que fuera a por mi anuario.

Al salir me topé con Ellie, que se disponía a entrar en la cocina.

—Veo que has encontrado los bocaditos de color naranja fluorescente.

—¿De modo que lo que dijiste de que Markus Glenn vendría esta noche a tu fiesta era mentira?

—En realidad, tenía que venir *aquí* —respondió Ellie, lo cual hizo que me preguntara si me conocía tan bien como ella creía—. Pero le hablé de él a mi madre y dijo que no quería que volviera a acercarse a mí.

—¿Y Rick? —pregunté.

—Rick, sí.

—De acuerdo —dije—. Pero dile que mantenga a sus jupiterinos lejos del asiento de mi retrete.

El padre de Ellie estuvo charlando un rato conmigo en el jardín, que estaba iluminado con unas antorchas de aceite esencial de toronjil. Se sentó a mi lado en un banco mientras yo daba buena cuenta del bol de rizos de queso y miraba el cielo y rezaba —o lo que hace una cuando le pide un favor al cielo— para que la maldición del murciélago petrificado desapareciese. No quería conocer el futuro de nadie más. Me tenía sin cuidado el pasado de los demás. Sólo quería regresar al presente. Aquí. Ahora. A esa fiesta en la que todos pensaban que yo era una chica guay.

—Tiempo atrás todos éramos amigos íntimos —comentó el padre de Ellie.

—Lo sé.

Él suspiró.

—Lamento lo que sucedió.

—Ya me lo imagino —respondí. Lo dije como dando a entender que sabía lo que había sucedido porque quería que él supiera que sabía lo que había sucedido—. ¿De qué habéis hablado mi padre y tú? ¿Habéis hecho las paces?

—No del todo.

—Ah.

—A veces dejamos que transcurra demasiado tiempo. Ha pasado mucho tiempo. Lamento lo que sucedió.

—Eso ya lo has dicho.

—Sí, supongo que sí.

—Yo también lamento muchas cosas.

—Eres demasiado joven para eso. Sólo tienes diecisiete años. Las cosas suceden por un motivo, incluso las más desagradables. No sé si te parece que eso tiene algún sentido.

—Sí, tiene sentido.

Crucé la mirada con Ed y recibí una transmisión de él en contra de mi voluntad. Transmisión de Ed Heffner: *Un día, Ellie estará de pie en el prado de la comuna, sola. Llorando. Rodeada de patos. Se montará en un coche y no regresará jamás.*

Yo no quería ver esa imagen.

Me dije que Ellie tenía razón. Las transmisiones eran tonterías. Ninguna de ellas podía ser cierta. Ellie no se iría de aquí y Rick no era el abuelo del hombre de la camioneta roja…, el cual le causaría daño a mi familia.

Eran memeces. Imbecilidades. Tonterías. Entré en casa.

Una de las participantes en el juego de la VIDA fingía llorar porque tenía que meter a demasiados niños de plástico en su coche. Otra persona bailaba con mi padre al ritmo de «Black Dog». Yo tenía la impresión de que faltaba algo, de modo que me dirigí a la habitación de mi padre, tomé una foto de Darla y la coloqué sobre la repisa de la chimenea para que pudiera sonreírnos a todos en lugar de sonreír a la habitación vacía de mi padre.

Al cabo de un rato, el juego de la VIDA terminó y después de que todos llegaran a las Hectáreas Millonarias y contaran su dinero, el vencedor fue proclamado. Vi que alguien había dispuesto el Jenga* en la mesita que mi padre solía utilizar para apoyar los pies cuando trabajaba sentado en el sofá.

Entonces mi tía Amy pidió a mi padre que bajara el volumen de la música y gritó:

—¡Ha llegado el momento de la tarta!

Mientras la partía y dividía en porciones, me dijo que abriera los regalos.

—Más tarde —respondí—. ¿No es lo que suele hacer la gente?

—No te olvides de enviar unas notas dando las gracias —dijo mi tía, cortando la tarta en cuadrados perfectos.

«No te olvides de enviar notas dando las gracias.» Qué concepto. Yo no había abierto aún ningún regalo, pero ya tenía que cumplir con ese deber social basado en las normas dictadas por mi tía Amy de recibir regalos. Como si todo el mundo que te hace un regalo lo hiciera para recibir una nota de agradecimiento.

Contemplé el montón de tarjetas y miré alrededor de la habitación. Todos los presentes se estaban divirtiendo. La gente comentaba que la tarta era exquisita.

Jasmine no probó la tarta. Yo tomé un plato con una porción y un tenedor y me acerqué a ella para saludarla.

Me sonrió con gesto angustiado, la misma sonrisa con gesto angustiado que habíamos esbozado mi padre, Ed Heffner y yo. Miré a Darla sobre la repisa de la chimenea. Ella no sonreía con gesto angustiado. Ya no sentía angustia.

---

* Jenga o La torre. Juego en el que los participantes (mínimo dos) colocan piezas para construir una torre. Pierde quien la hace caer. *(N. de la T.)*

No sé de qué hablamos Jasmine y yo. Al cabo de un par de minutos, mientras ella hablaba de cosas intrascendentes y yo me comía la tarta y asentía, comprendí que Jasmine no sabía lo que iba a suceder.

Hacía estupideces. Sí.

Hacía cosas mezquinas, desde luego, pero yo seguía preguntándome si mi padre no se sentía aún halagado por lo que había sucedido, y ése era el secreto que yo jamás averiguaría.

Lo que sí sabía era que Jasmine no tenía la culpa.

Hizo lo que hizo y punto.

Luego hizo lo que le dijeron que hiciera. Permaneció alejada de nuestra familia y de nuestra casa, y ni siquiera asistió al funeral de Darla.

Y ahora estaba ahí.

Charlando de banalidades. Sin probar la tarta. Sin tocar una pared, ni una silla. Haciendo simplemente acto de presencia. Sintiéndose incómoda. Apuesto a que ardía en deseos de regresar a la comuna para escapar de esas fotografías que la atormentaban.

—¿Quieres más tarta? —me preguntó.

—Sí —respondí. Me acerqué a la mesa donde estaba la tarta y el montón de tarjetas previas a mis notas de agradecimiento.

—¿Has ido a buscarlo? —me preguntó uno de los chicos del club del anuario.

—¿El qué?

—Tu anuario.

—No.

—Ve a por él —dijo Matt—. Quiero firmarlo.

Vi a Jasmine salir por la puerta principal y a Ed Heffner observarla. Ed hablaba con mi padre, que había puesto una música más relajada: un concierto en vivo de Grateful Dead.

Regresé a mi habitación en busca de mi anuario para que me lo firmaran. Cuando la fiesta hubiera terminado, sería el único regalo que no requería una nota de agradecimiento.

Mi anuario pasó de mano en mano mientras la gente escribía cosas en él y lo firmaban. Algunos tardaban una eternidad. Stacy Cullen lo retuvo durante diez minutos. Uno de los miembros del club del anuario hizo un divertido dibujo de mí y mi cámara. Luego le tocó el turno a Ellie. Estuvo un buen rato escribiendo en la guarda, que todos habían dejado en blanco para ella porque era mi mejor amiga..., aunque yo había olvidado que era mi mejor amiga.

La partida de Trivial Pursuit de La Guerra de las Galaxias concluyó y cada uno de los perdedores prometió dar al campeón reinante diez dólares. Después de firmar en mi anuario, los asistentes empezaron a despedirse abrazándose unos a otros y a mí, dándome las gracias; yo di a algunos una porción extra de tarta porque no pensaba enviarles una nota dándoles las gracias.

Ellie y Rick fueron los últimos en marcharse, junto con Stacy Cullen y su novio. Stacy me susurró al oído que había mentido a su madre diciéndole que se quedaría a dormir en mi casa y me pidió que la cubriera. Yo accedí.

—Ten cuidado —dije.

Antes de salir, Ellie me entregó mi anuario y dijo que nos veríamos al día siguiente.

Cuando todos se marcharon cerré la puerta y salí al patio para leer lo que la gente había escrito en mi anuario. Todos empezaban de la misma forma. «Para una chica guay que conocí en...» «Para una misteriosa chica que conocí cuando...» «Para una chica divertida que conocí cuando...» «Para una talentosa fotógrafa y amiga...» «Para una gran amiga que conocí en...» «Para una niña encantadora que se ha convertido en una adulta aún más encantadora...»

Una de las entradas decía que yo veía el mundo de modo distinto a los demás. Otra, que mi vida había empezado con mal pie pero que eso significaba que estaba destinada a hacer grandes cosas. Tantas predicciones...

Yo tenía un cuaderno lleno de mis propias predicciones. *Historia del futuro*. Pero prefería este libro al mío. Prefería estas predicciones. Prefería ser una chica guay/misteriosa/divertida/talentosa/encantadora que la chica que un día sería conocida sólo por haber vaticinado sufrimiento.

Capas

Mi tía Amy estaba fregando y recogiendo los cacharros en la cocina y bajé a ayudarla. Hablaba con mi padre como si fueran amigos de toda la vida, y supongo que lo eran. Nunca había pensado en ello, que los adultos tienen unas vidas sobre unas vidas sobre unas vidas. Como capas. Quizás era por eso que Ed Heffner me había dicho que a mi edad no debía lamentarme de nada. Quizás insinuaba que ya tendría ocasión de lamentarme de muchas cosas en el futuro. O quizá que debía dejar de lamentarme de cosas ahora para no acabar amargada más tarde. O algo por el estilo.

—Me pareció que lo estabas pasando muy bien —comentó mi tía Amy.

—Ha sido genial. Muchas gracias. —Al decir eso comprendí que quería enviar al menos una nota de agradecimiento…, a ella.

—¿Quieres que nos sentemos y abramos esas tarjetas? —Mi tía se secó las manos con un paño y abrió una de las cervezas de mi padre. Él también abrió una, tras lo cual salió al patio para apagar las velas de aceite esencial de toronjil y recogerlo todo. Yo tomé otro refresco de zarzaparrilla.

Casi todos los sobres contenían una tarjeta de regalo. Algunas eran tarjetas de regalo de librerías. Otras eran tarjetas de regalo de tiendas de ropa. Tarjetas de regalo de establecimientos *online*. Tarjetas de regalo de restaurantes. Tarjetas de regalo de objetos para la casa.

Mi tía Amy calculó el valor en dinero. No sé por qué. Puede que sea lo que hacen las personas normales.

—Trescientos setenta y cinco dólares —informó—. Con eso puedes comprarte un montón de libros. —Me entregó un sobre que no habíamos abierto—. De mi familia y mío —dijo, como si yo no conociera la existencia de su marido y sus hijos de cuello frágil.

Era una tarjeta de color rosa y en la cubierta había un dibujo de una joven que acababa de graduarse, calzada con unos tacones de vértigo. Y cubierta de bisutería.

El interior estaba en blanco y mi tía Amy había escrito unas palabras en él. Sólo alcancé a leer lo que había escrito cuando aparté el cheque de cien dólares.

Mi hermana era la única hermana que tenía. Cuando la perdí, sentí que lo había perdido todo. Pero estabas tú.

Me habría gustado ir a verte más a menudo pero tenía que ocuparme de mi familia, que iba aumentando. Tu padre me mantenía informada de tus progresos mientras pasabas de ser una niña a una jovencita adolescente, y yo confiaba en que de mayor te convirtieras en el tipo de mujer que era Darla.

Lo eres.

Eres creativa, ingeniosa, inteligente, fuerte, divertida y hermosa.

No quiero ponerte triste en un día tan especial, pero quiero que sepas lo orgullosa que Darla se siente hoy de ti. Te quería muchísimo, y me imagino lo mucho que la echas de menos.

Llámame siempre que quieras, Glory. Si alguna vez necesitas algo, o quieres que hablemos, no dejes de decírmelo. Quizá pueda llenar una pequeña parte del vacío que ella ha dejado, al igual que tú llenas una parte del vacío que ha dejado en mí.

Te quiero. Enhorabuena.

En ese momento entró mi padre, probablemente en el momento más inoportuno. De haber podido, me habría pasado toda la noche hablando de mi madre con mi tía Amy. El cuarto oscuro de Darla no tenía las respuestas. *Por qué la gente toma fotografías* no tenía las respuestas. Mi padre tampoco tenía las respuestas. Nadie podía tener todas las respuestas, excepto Darla. Es lo que sucede cuando alguien se suicida. Nadie tiene todas las respuestas, excepto la persona a la que ya no puedes preguntarle nada.

Pero mi tía Amy podía hablar de muchas cosas porque había perdido a una hermana que se había suicidado y también debió de ser duro para ella. Pero en ese momento apareció mi padre, jovial y un poco achispado, preguntándonos si queríamos jugar al Scrabble.

—O al póquer, si queréis. Amy siempre ha sido una excelente jugadora de póquer. —Yo me apresuré a enjugarme los ojos con la manga y Amy hizo otro tanto. Con su manga, no la mía. Mi padre se percató—. O… puedo salir de nuevo al porche y dejaros tranquilas, si lo preferís.

—No —respondió tía Amy—. Quédate. Me encantaría darte una paliza al póquer, Roy, pero sólo si jugamos por dinero de verdad.

—Seguid charlando y salid al porche cuando estéis listas. He estado practicando, Amy. No te hagas ilusiones. —Tras esto mi padre salió de la habitación.

—¡Jugar con un ordenador no es practicar, para que te enteres! —contestó mi tía Amy.

Luego nos miramos.

Transmisión de mi tía Amy: *Su nieto dirigirá un refugio para huérfanos y les buscará un hogar, al margen de las nuevas leyes y el ejército de los Nuevos Estados Unidos. El refugio para huérfanos me resulta muy familiar. Será el granero de Ellie. El que está al otro lado de la calle.*

—Quiero hablar de muchas cosas —dije—. Pero no esta noche.

—Entonces lo haremos este verano. Tengo tiempo.

Yo tuve la suerte del principiante y gané a mi padre y a mi tía Amy en mi primera mano de póquer. Por lo visto tenía un full, que no parece gran cosa, pero ganó a la pareja de reinas de mi padre y al trío de mi tía Amy.

A partir de ese momento, mi tía Amy nos dio una soberana paliza a los dos y mi padre tuvo que pagarle sesenta dólares.

Cuando mi tía se marchó, subí y guardé mis tarjetas regalo y mis tarjetas de la graduación en un cajón de la cómoda y me puse el pijama. Me apetecía comer algo, así que bajé de nuevo.

Mi padre me indicó que me sentara.

—Acerca de esa ley —dijo—. He leído lo que dice.

Yo asentí.

—Creo que tu madre querría que yo recuperara ese terreno.

Asentí de nuevo, pero me sentí fatal porque ahora me parecía injusto. Ahora todo era distinto. Quizá debido a la fiesta. Quizá debido al murciélago. Quizá debido a que me había graduado del instituto. Quizá debido... a todo.

—Yo podría morirme en cualquier momento y no quiero dejarte con ese problemón. No sería justo.

—No te morirás hasta que seas viejo —dije—. Créeme.

Mi padre mi miró.

—Supongo que debí contarte todo esto antes. Siento no haberlo hecho.

—No lo sientas —respondí—. Los detalles eran... complicados. Lo entiendo.

Quería disuadir a mi padre de recuperar nuestro terreno, pero sabía que él tenía razón. Teníamos que recuperarlo. Yo sabía que Darla se lo había dado a Jasmine como regalo, pero era un regalo temporal. No puedes vivir gratis en un sitio durante diecinueve años sin imaginar que algún día se acabará el chollo.

Es un poco como ser una niña y graduarte del instituto y seguir adelante con tu vida.

Historia del futuro según Glory O'Brien

Los antiguos seguidores de Nedrick acudirán a la mansión del gobernador del último estado bajo el poder de Nedrick y le prenderán fuego. (Tras la evacuación de la mansión, descubrirán que el gobernador sigue empleando a varias mujeres, lo cual es contrario a la ley que él mismo promulgó.) Nedrick el Santurrón seguirá culpando a los exiliados y a los desterrados, pero la revuelta se producirá entre sus propias filas.

La gente estará indignada. Furiosa.

Se preguntarán cómo es posible que terminaran siendo esclavos cuando hace unos años eran estadounidenses normales que comían palomitas hechas en el microondas y enceraban sus coches.

Los exiliados, la Francotiradora y su marido se hallarán lejos de la mansión del gobernador, esperando la batalla definitiva. Bajo tierra, oirán a los ejércitos ocupar sus respectivos lugares. Comprenderán que los soldados de Nedrick están en una situación numérica inferior. Sabrán que éste se encuentra allí. Sentirán su presencia.

A primera hora de la mañana del martes, oirán retumbar y crujir la tierra sobre su cabeza. La oirán llenarse de soldado tras soldado. Desalojarán los túneles y se batirán en retirada. La Francotiradora indicará a los exiliados adónde dirigirse. Los enviará lejos de la explosión que va a producirse. Lejos del peligro.

Ella limpiará su rifle.

Él oprimirá el botón.

Y el último capítulo empezará con un estallido monumental.

La gente sigue haciendo eso

Era viernes y Peter parecía muy contento de verme. Yo no quería sacar conclusiones apresuradas, pero creo que le gustaba mi compañía. Tenía la impresión de que cada vez que me encontrara con él en junio, aumentaban mis posibilidades de ser el alma gemela que había conocido en el centro comercial en junio de 2014.

—¿Has venido sola hoy?

—Sí —respondí.

Peter señaló mi cámara. Yo había encontrado la vieja correa de la cámara de Darla y me la había colgado del cuello antes de salir. Mi padre había sonreído con gesto de aprobación. Dijo que se alegraba de que alguien la utilizara de nuevo.

Mi madre la había bordado a mano con dibujos de mariposas.

—¿Vas a tomar fotografías? —preguntó Peter.

—Forma parte de mi proyecto —le informé.

Él sonrió a un transeúnte. Luego escribió una X en su carpeta sujetapapeles.

El tipo pasó de largo leyendo algo en su teléfono inteligente sin siquiera levantar la vista.

—Deberías incluir a esas personas en una categoría aparte —sugerí—. Es distinto a no hacerte caso, ¿no crees?

—Saben que estoy aquí. Probablemente sienten que sonrío. Pero no se molestan en levantar la vista.

—Después de ese vídeo de la mujer que se cayó en la fuente, lo lógico sería que las personas caminaran por este centro comercial mirando por dónde pisan.

—Las personas necesitan información. Tienen que obtenerla en el acto, las veinticuatro horas del día.

—Es verdad —dije, pensando en mi padre y la frecuencia con que consultaba su correo electrónico aunque no tenía amigos y por lo general se trataba de anuncios basura que intentaban venderle pastillas para la potencia sexual, o que le ofrecían productos farmacéuticos canadienses, contactos *online* o una mítica langosta gratis.

—¿Qué vas a fotografiar? —preguntó Peter.

—No lo sé —contesté—. Cuando veo algo, tomo la foto. Hasta entonces, no tengo ni idea.

—Sácame una a mí sonriendo a la gente. Me ayudará en mi proyecto. Quizá contribuya a que reconozcan mis méritos —dijo.

Yo señalé con la cabeza unas personas que se acercaban y retrocedí hacia la izquierda para captar la parte posterior de la cabeza de esas personas y el rostro de Peter mientras sonreía sosteniendo su carpeta sujetapapeles. Saqué varias fotos de él mirándolas y unas fotos de él mirando su carpeta sujetapapeles.

Cuando se aproximaron tres mujeres, me situé en un ángulo distinto para fotografiarlas charlando entre sí. Una de las mujeres devolvió la sonrisa a Peter. Sus amigas siguieron caminando pero ella se acercó a Peter y le preguntó qué vendía. Yo me hallaba relativamente cerca, por lo que oí la conversación que mantuvieron.

—Si vendieras besos, te compraría uno —dijo la mujer.

—No vendo nada —respondió Peter.

—¿Quieres que te dé mi número? —preguntó ella.

Peter parecía turbado. Pero tomó su número de teléfono y la observó alejarse. La mujer caminaba contoneando las caderas y agitando su cabellera de color platino, y cuando alcanzó a sus amigas se detuvo y todas se volvieron para mirar a Peter y se rieron.

Me fastidió pensar que esa mujer pudiera estar en una de las transmisiones de Peter. No creí que pudiera ser su *alma gemela*, pero ¿qué sabía yo? Era todavía virgen y me gustaba perderme en vestidos de lino demasiado grandes. Aún quería ser Darla, aunque sabía que no lo era, pese a llevar colgada del cuello la correa de su cámara bordada con mariposas.

—¿Has logrado sacar unas buenas fotos? —preguntó Peter.

Transmisión de Peter: *Se encaramará a un árbol para rescatar de la casa construida en la copa a un bebé. Trepará con tal agilidad, que más tarde le gastarán bromas diciendo que parecía un mono. Tendrá el pelo canoso. Cuando esto ocurra, será viejo. Después de rescatar al bebé del fuego, se lo entregará a la madre y se dirigirán por el bosque hacia los túneles.*

—¿Glory? —dijo Peter.

—Sí. He obtenido algunas que están bien. Del tipo que te ignoró y de la mujer que te dio su número de teléfono.

Peter parecía sentirse de nuevo turbado.

—Genial —exclamó—. ¿Puedes enviármelas cuando las subas?

Yo sostuve la cámara en alto, moviéndola un poco.

—Es película fotográfica. Primero tengo que revelar el carrete.

—Ah —dijo él—. No sabía que la gente siguiera haciendo eso.

—Pues sí —contesté.

Él se levantó y sonrió a una persona que pasó de largo, luego anotó una X en su carpeta sujetapapeles. Yo observé el creciente tráfico de transeúntes en el centro comercial.

—¿Nos vemos a la hora de almorzar? —pregunté.

—Pues claro —respondió.

Pensé en que le gustaba el pollo agridulce. Pensé que la mujer que le había dado su número quizá fuera una pareja perfecta y banal para él. Podían ser los degustadores de pollo agridulce del mundo y yo formaría parte del equipo de degustadores de carne con salsa picante *kung pao*. Lo miembros de mi equipo probablemente jugarían mejor al pimpón y tendrían sistemas inmunológicos más resistentes. Los del equipo de Peter y la mujer, probablemente serían más estilosos y tendrían armarios roperos más grandes.

Qué le vamos a hacer.

Me sentía cohibida con mi cámara. La gente del centro comercial me miraba como si fuera un bicho raro. Parecía disgustarles que alguien les sacara una fotografía. Lo cual me chocó, porque hoy en día todo el mundo tiene un teléfono móvil con una cámara fotográfica.

¿Por qué les incomodaba mi anticuada cámara cuando alguien podía sacarles una foto sin que se percataran?

Decidí fotografiar sólo cosas. A ningún humano. Letreros. Bancos vacíos. Fuentes. Puertas. Botones de ascensores.

—¡Hola! ¡Volvemos a encontrarnos! —saludó el tipo del USS *Pledge* cuando salí del ascensor—. ¡Mi amiga la de los *calzoni*!

Yo sonreí y le saludé con la mano.

—¡Le estaba buscando!

—¿Qué es eso? ¿Una cámara de las de antes?

—Una Canon AE1 —dije—. De 1980. Nada del otro mundo.

—Yo utilizaba una Leica. Esas cámaras me encantaban. Tenían algo especial.

—Mi madre tiene dos en el desván. —No le hablé de la Leica que Darla me había dado cuando yo tenía cuatro años. No sé por qué.

—¡Vaya! —exclamó él, complacido de hablar de las Leicas—. Deberías sacarlas del desván y probarlas. Son fantásticas.

Yo asentí sin saber qué decir.

—¿Subes a comerte un *calzone*? —preguntó.

—Sí —respondí—. ¿Ha quedado con amigos o podemos comer juntos?

—¿Me estás pidiendo una cita? —preguntó el anciano, guiñándome el ojo.

—Seguro —respondí—. ¿Por qué no?

El tipo de la silla de ruedas entró en el ascensor y pulsamos el botón del segundo piso.

La Francotiradora

—¿Quiere que empuje su silla? —pregunté cuando el ascensor nos dejó en el segundo piso.

—Llevo manejándola yo mismo desde 1951 y no pienso dejar de hacerlo hoy —respondió él.

Nos colocamos en la fila para pedir nuestros *calzoni* y yo elegí uno de espinacas y queso y él uno sencillo, pero pidió a la encargada que le añadiera unas guindillas.

Había encontrado a mi compañero del equipo de comida picante. Quizá me había equivocado sobre lo del pimpón.

Aparté una silla para que el anciano pudiera acercarse a la mesa y abrimos nuestras cajas de *calzoni* para que se enfriaran un poco. Él me pidió que fuera en busca de más servilletas y yo obedecí.

—¿Cómo es que te encuentro siempre aquí? —preguntó.

—Estoy haciendo un proyecto —respondí, señalando mi cámara.

—¿En verano? ¿Un proyecto para el instituto?

—No. Es para mí. Me lo he inventado.

—Muy bien —dijo él—. Así te mantendrás ocupada hasta que empiecen de nuevo las clases. ¿Cuántos años tienes? ¿Quince?

—Diecisiete. Acabo de graduarme.

—Cuanto más viejo me hago, más jóvenes me parecéis todos —comentó el anciano—. Juraría que ayer vi a un niño de nueve años conduciendo un tractor con remolque.

Yo me reí.

—¿Le importa que le pregunte por su gorra? —pregunté—. Sé que uno de los buques USS *Pledge* se hundió en Corea. ¿Iba usted a bordo de ese barco?

—¿Te burlas de mí?

—¿Cómo?

—A ningún joven de tu edad le importa la guerra de Corea.

Meneé la cabeza y terminé de masticar mi *calzone*.

—Era un dragaminas que se hundió en 1950, ¿verdad?

El hombre emitió una carcajada, como si yo hubiera contado el chiste más gracioso que había oído en su vida. Lo interpreté como que había dicho una estupidez y me apresuré a rectificar.

—O quizás iba a bordo del otro USS *Pledge* que luchó en Vietnam.

—No, no. Has acertado. Yo iba en el buque que se hundió en Corea. Nos sacaron del agua y no he vuelto a sentir mis piernas —dijo, meneando la cabeza—. Mi hijo dice que a ningún joven de tu edad le importan un comino las viejas guerras. Apuesto a que mi nieto no sabe nada de nada.

—Ya.

—Se ha criado en una especie de secta. Supongo que no les dejan pensar por ellos mismos. Menuda broma.

Yo dejé de comer y lo miré. Transmisión del tipo del USS *Pledge: Su madre no quería que fuera a la guerra. Le parecía una injusticia. Se pasó el resto de su vida culpándolo por las lesiones que él había sufrido.*

—¿Una secta? Qué interesante —dije—. No he conocido a nadie que estuviera en una secta. —La verdad es que mientras hablaba el anciano yo apenas le seguía. Supuse que el nieto al que se refería era uno que se hallaba muy lejos, en algún lugar de la costa oeste, y que la secta era como esas personas amantes de los unicornios con las que se había fugado la madre de mi padre. Pero de golpe recordé quién era el anciano…, quién era su nieto.

—Creo que lo único que les enseñan allí a los chicos es cómo vivir a expensas del Gobierno. Porque…

—¿Ese sitio es una secta? —pregunté, depositando mi *calzone* en el plato—. ¿El lugar junto al lago? ¿Donde hay un montón de autocaravanas?

—Yo solía llamar a la policía para pedirles que me devolvieran a mi nieto. Pero no hubo suerte.

—¿Cómo se llama su nieto? —pregunté de nuevo.

El anciano arrugó el ceño.

—No serás una de ellos, ¿verdad?

—No.

—Se llama Richard. Como yo. Por increíble que parezca.

—Lo conozco —dije—. Lo he visto varias veces. —El anciano me miró dolido, como si le doliera que yo conociera a Rick mejor que él—. Si quiere, le daré saludos de su parte.

—Ojalá pudieras sacarlo de allí de tapadillo —contestó el anciano. Estaba bromeando, sonriendo y comiéndose su *calzone*—. O quizá puedas hablarle del *Pledge* y contarle cómo acabé sentado en esta silla. No creo que lo sepa, y apuesto a que el idiota de mi hijo no le ha contado nunca la verdad.

—Lo haré cuando vuelva a verlo —respondí. Luego tomé mi cámara—. No suelo hacer esto, pero ¿le importa que le saque una foto?

Él accedió y le saqué varias fotos porque quería captar cada mancha y cada arruga en su rostro. Era un hombre bien parecido de más de ochenta años. Se lo dije.

—No debes burlarte de los ancianos —replicó.

—No me burlo de usted. Seguro que era un chico guapísimo cuando tenía mi edad.

—A decir verdad, tenía acné y era muy patoso. Nunca se me dieron bien los deportes ni el baile. Pero era un as en matemáticas.

Bajé mi cámara y lo miré. De pronto sentí algo que no puedo describir. Era una mezcla de un ataque de pánico y una transmisión.

Lo que vi me produjo vértigo. Estaba mareada. Sentía náuseas.

Transmisión de Richard, el tipo del USS *Pledge* confinado en una silla de ruedas:

Yo estaré en el túnel.

Glory O'Brien, con el pelo canoso y vestida con un pantalón de combate masculino. Estaré en el túnel, que estará invadido por el humo.

Estaré con Peter, que también tendrá el pelo canoso, llevará un atuendo de combate e irá acompañado de un niño.

Detrás de nosotros habrá unos veinte exiliados con máscara para proteger-
se del humo. Delante de nosotros estará el brazo derecho de Nedrick el Santu-
rrón, el hombre de la camioneta roja. Sostendrá un lanzallamas. ¿El niño? Es
su hijo. Tendrá el pelo rizado y soriasis. Irá descalzo porque su madre ha tenido
que vivir durante los tres últimos años en los árboles. Reconocerá a su padre y
le implorará que no nos abrase. Pero su padre decidirá prendernos fuego por-
que yo soy la líder de la resistencia, la enemiga número uno.

La Francotiradora. Mucho más importante que un hijo bastardo.

—¿Te sientes bien? —me preguntó alguien. No sé quién.

—¿Glory? —Era Peter.

Alguien me sostuvo en brazos cuando me caí de la silla.

Richard, el hombre del USS *Pledge*, dijo:

—Apartaos para que la pobre chica pueda respirar.

Yo viviría

La habitación no cesaba de girar. Me vi en el túnel. Vi al niño. Vi las llamas. El humo. No recuerdo nada más hasta que abrí los ojos y comprobé que estaba sentada en el suelo junto a Peter, que sostenía una bandeja con comida china para llevar.

Cuando le dije que me sentía mejor, me ayudó a sentarme de nuevo en la silla, a la mesa donde Richard, el tipo del USS *Pledge*, seguía sentado. Le expliqué que a veces me daban ataques de pánico y me disculpé. Procuré no establecer contacto visual con ninguno de los dos. Richard dijo que debía irse porque tenía hora con el oftalmólogo.

—No olvides saludar al pequeño Richard de mi parte cuando lo veas —me recordó—. Echo de menos a ese crío. ¿Se lo dirás?

Respondí afirmativamente.

Peter comió su arroz frito con pollo mientras yo trataba de descifrar mi papel en la historia del futuro.

Todo era muy simple. *Yo* era el miembro de la familia que resultaría herida en ese túnel. No mi hijo ni mi nieto. Seré una anciana y Peter un anciano. Y seré la líder de los exiliados.

Observé a Peter comerse su arroz frito con pollo con un tenedor de plástico. Un día nos casaríamos. No había prisa.

Recorrí el centro comercial con la mirada. Todas esas personas morirían algún día, al igual que yo. No había prisa.

Cuando me colgué de nuevo la cámara de Darla alrededor del

cuello, comprendí que yo no era Darla. No me encaminaba hacia el horno, no me encaminaba hacia el garaje cerrado con las llaves del coche, y no me parecía en nada a Bill, el hombre sin cabeza que se había descerrajado un tiro en la sien y sus sesos se habían incrustado en el techo, decorándolo con un arte pictórico rancio.

Yo viviría. *Viviría realmente.*

Saqué una foto de Peter comiendo y le sonreí. Quizá fuera una sonrisa coqueta. Sé que no era la misma sonrisa que le había dirigido hacía media hora. Ésta era una sonrisa que decía algún-día-seré-tu-mujer. No sé por qué, pero hizo que él me mirara de forma distinta. Nos miramos a los ojos.

Pero no recibí ninguna transmisión.

Qué raro.

Lo miré de hito en hito, fijé la vista en sus pupilas.

Pero nada.

—¿Qué miras? —preguntó.

—Hummm... a ti —contesté.

Seguía sin recibir ninguna transmisión. Dije que me apetecía un postre y me acerqué a pedir un helado en Señor Burrito. Cuando me dirigía hacia allí, establecí contacto visual con tres personas. Ninguna transmisión. Con el viejo tipo que trabajaba en Señor Burrito. Ninguna transmisión. Cuando regresé a la mesa miré de nuevo a Peter a los ojos. Nada.

Compartí el helado con Peter y apenas hablamos entre bocado y bocado.

El cielo había atendido la oración que le había dirigido.

El murciélago había desaparecido.

Eso es todo

Peter sonreía a la gente mientras yo apuraba mi helado.

—¿Qué opinas sobre las sectas? —le pregunté.

—Pues…, en términos generales estoy en contra de ellas.

Yo no dije nada.

—¿Por qué? —inquirió él.

—Creo que Ellie vive en una. Es decir, Richard, el hombre con el que almorcé, cree que Ellie vive en una.

—Ah.

—Siempre pensé que las sectas eran algo de más envergadura, como Jim Jones o Jonestown o algo así —expliqué. Había leído sobre Jim Jones en segundo de secundaria. Jones había matado a casi mil personas, pero los medios pretendían hacernos creer que todos se habían suicidado. El último en reírse había sido Jim Jones.

—Ostras —dijo Peter—. ¿Ellie no vive al otro lado de la calle, frente a tu casa? Si viviera en una secta tú lo sabrías, ¿no?

—No sé. Supongo que sí.

Cuando me despedí de Peter ese día, decidí tratarlo como si nos conociéramos de toda la vida. Él también lo hizo. Me preguntó si nos veríamos al día siguiente. Le dije que seguramente sí, pero que en caso contrario, lo llamaría. Él sonrió. Yo sonreí. Luego, de camino a casa, traté de asimilarlo. Jasmine Blue: líder de una secta. No me parecía verosímil.

Si Jasmine Blue Heffner creía que un horno microondas era una bomba atómica, me pregunté qué pensaría del revelador HC-110 o, peor aún, de un fijador fotográfico con un noventa y siete por ciento de hidroquinona. Supongo que pensaría que un cuarto oscuro era una cámara de gas nazi y yo, una víctima voluntaria que entraba en ella como si fuera una ducha, sosteniendo la mano de mi madre.

Si Jasmine Blue regalaba a hombres fotos de ella desnuda, ¿cómo respondería a la pregunta final de Darla?

¿Por qué la gente toma fotografías?

O, en este caso, ¿por qué la gente toma fotografías de gente desnuda?

¿Lo hace para retener ese momento en el tiempo? ¿El momento en que tus muslos todavía son perfectos desde el punto de vista consumista y tu pelo luce un corte maravilloso desde el punto de vista consumista y tu cuerpo es como todos los cuerpos que aparecen en las revistas consumistas que compra la gente? Cualquiera que a partir de ese día intentara convencerme de que Jasmine no era en el fondo una consumista fracasaría.

Esa mujer se hinchaba a consumir.

Y nadie lo sabía en la comuna.

Richard, el tipo del USS *Pledge*, tenía razón. Puede que la comuna fuera en cierto sentido una secta. Jasmine controlaba cuándo se graduaban los jóvenes. Controlaba todo lo que hacía la gente. Las fiestas de las estrellas. Las excursiones. Las manifestaciones locales. Pero no me la imaginaba vaticinando el fin del mundo como Jim Jones en Jonestown. No me la imaginaba matando a nadie. No me la imaginaba manipulando a las personas con el poder de su mente o haciéndolas sufrir.

Jasmine necesitaba gustar. Eso era todo. ¿Y a quién no le gusta gustar?

Historia del futuro según Glory O'Brien

La explosión en el campo de batalla diseminará partes del ejército de los Nuevos Estados Unidos de Nedrick en todas las direcciones. Brazos. Piernas. Cabezas. Manos. Orejas. Los túneles retumbarán. La Francotiradora correrá hacia los túneles más seguros, seguida por su marido, hasta que localicen al niño. Éste les rogará que se detengan. Dirá que hay demasiado humo. Dirá que están atrapados. Ese niño me resulta familiar. Proviene de un refugio que se parece al granero de Ellie.

Oirán pasos a sus espaldas. Verán un lanzallamas y a un hombre. El director de la Compañía Hurón, que lleva más de un año persiguiéndolos. Un hombre que conduce una camioneta roja.

—¿Por qué no vienes con nosotros? —preguntará la Francotiradora.

El hombre se lo pensará. Mirará al niño. Al verlo, algo cambiará en él. Se suavizará.

—Se acabó —dirá—. La búsqueda ha terminado.

El niño pensará que el hombre se refiere a él y echará a correr hacia él. El hombre disparará su lanzallamas contra los tres: la Francotiradora, su marido y el niño.

Pero no se ha acabado. Nada se acaba mientras quede un hálito de vida. Y cuando el hombre los deja allí, quemados y ensangrentados, aún respiran.

No veo... nada

Ellie se acercó cuando me vio en el porche, sentada en la mecedora. Yo había cenado con mi padre. Mientras cenábamos le miraba continuamente, tratando de recibir alguna transmisión, pero no había visto nada.

Ellie se sentó en el escalón y se apoyó contra la barandilla.

—Esa... *cosa*... ha desaparecido. No veo... nada —comentó.

—Lo sé —dije—. Yo tampoco.

—¿Qué haces esta noche? —preguntó.

—Nada —mentí. Quería imprimir unos negativos.

—Deberíamos hacer algo para celebrar que el murciélago ha desaparecido, ¿no crees?

—Supongo que sí —contesté.

Entré en casa y dije a mi padre que volvería al cabo de un rato.

Esta vez no había un tarro lleno de polvo. Sólo cerveza. Ellie me ofreció una.

—No, gracias.

—Están frías —dijo Ellie—. Las he sacado del frigorífico de mi padre.

Negué de nuevo con la cabeza y ella abrió su cerveza.

Ellie no quería hablar de las transmisiones. No quería hablar de la guerra, de *mi guerra*, según decía, porque estoy convencida de que no creía que fuera a producirse. No quería hablar de Rick porque sabía que yo sabía ya demasiado sobre él.

Guardé silencio, sintiéndome incómoda.

Sin Negro Máximo, ya no tenía nada en común con Ellie.

De modo que observé cómo se teñía el cielo con los colores del crepúsculo. No había muchos colores. Algunos crepúsculos son aburridos. Ése era uno de ellos.

—He escrito la historia del futuro —dije.

—¿Qué?

—He escrito la historia del futuro.

—Como Nostradamus. Él también lo hizo, ¿no? —preguntó Ellie.

—Más o menos —respondí.

—Puede que un día seas famosa.

—No quiero ser famosa. Espero que lo que he visto no suceda nunca.

—Ya —replicó ella.

Antes de que oscureciera, Ellie se bebió dos cervezas, charlamos sobre todo tipo de temas intrascendentes —recuerdos de nuestra infancia, algunos chistes malos—, y cuando Ellie cayó en la cuenta de que yo llevaba un rato callada —como si la realidad fuera un fastidio—, preguntó:

—¿Viste al tipo de la silla de ruedas? ¿Te ha ayudado a escribir este ensayo o qué?

—No es un ensayo. Es un libro —puntualicé—. Y sí, hoy almorzamos juntos. Con Peter.

—Peter —dijo Ellie—. Perfecto.

—Lo más curioso es que ese anciano está emparentado con Rick. Es su abuelo. Curioso, ¿no?

—No veo el día en que pueda largarme de este jodido lugar —replicó Ellie, que estaba claro que no había oído una palabra de lo que yo había dicho—. ¿Puedo utilizar tu móvil para llamar a Markus Glenn?

Qué le vamos a hacer.

Le dejé mi móvil, y después de que Ellie quedara con Markus para verse, le di las buenas noches y regresé a casa. No era asunto mío salvar a Ellie.

La única persona con la que aún tenía un asunto pendiente era mi padre. Roy O'Brien —cuyos antepasados habían devorado a un gigantesco ciervo al espetón—, usuario crónico del microondas, conductor ocasional de un carrito Jazzy y pintor que había abandonado los pinceles.

No era asunto mío salvarlo. Pero quería intentarlo. Quería que viera *Por qué la gente toma fotografías*. También quería hablarle de *Historia del futuro*. Luego quizá dejara de perder tanto tiempo sentado en el sofá.

Darla, Darla, Darla

Antes de bajar por la mañana, tomé *Historia del futuro*. Eso era lo que más temía. Si le contaba a mi padre lo que había visto, quizá pensaría que estaba chiflada como Darla. Nunca había compartido con él mi temor de acabar como Darla, por lo que no sabía si él me ocultaba también ese temor.

Pero sin que me diera tiempo de bajar a la sala de estar, mi padre me llamó:

—Bizcochito! ¿Puedes venir un momento?

Había dos carpetas en el sofá junto a él y estaba rodeado de papeles. Con el ordenador sobre las rodillas, me leyó parte de la ley de Pensilvania sobre los derechos de los okupas.

—Al parecer disponemos de veintiún años, ¿no? Aunque ellos puedan reivindicar su derecho a quedarse con el terreno.

—Eso parece —respondí—. Siempre podrías llamar a un abogado.

—Ya lo hice. Ayer.

—Ah.

—Tenemos opciones —informó mi padre—. He hablado también con un tipo que conozco en las oficinas del municipio.

—¿Ha presentado Jasmine una demanda reclamando el terreno?

—Ella no haría eso —contestó mi padre.

—Nunca se sabe.

—En cualquier caso, da lo mismo —dijo mi padre, pasándome uno de los papeles—. Más tarde iré a entregarle esto. Le enviaré primero una copia por correo para que sea oficial, luego le llevaré esta carta y se la entregaré en mano.

—Bien hecho —respondí, leyendo la carta. Era la misma que yo había escrito, pero en lugar de mi firma aparecía la de él, omitiendo lo de «afectuosamente». Breve y concisa. Mi padre había adjuntado una carta de explicación refiriéndose a la ley del suelo e indicando que el municipio se había puesto en contacto con él a propósito de varios temas. Demasiadas autocaravanas. Demasiadas personas que vivían en una estructura que no cumplía con la normativa legal (el granero). Y, por lo visto, nadie en la comuna había pagado impuestos salvo Ed, que sólo los había pagado por Jasmine y por él. Era una carta amable. Casi de disculpa.

—Gracias por obligarme a hacer esto —dijo mi padre—. He permanecido largo tiempo en una especie de agujero sin querer salir de él. —Miró de nuevo la carta cuando se la devolví—. A fin de cuentas, ¿cómo averiguarán cómo es el mundo real si les cedo un terreno gratuito para que vivan en él durante el resto de su vida?

Yo lo miré.

—¿Insinúas algo?

Los dos nos reímos.

—Sigo pensando que a Jasmine le dará un ataque —continuó mi padre—. Pero el asunto ya está fuera de mis manos. Tengo que echarlos de nuestra propiedad.

—Vale, ¿podemos hablar ahora sobre cuándo empiezas a pintar? —pregunté.

—No.

—Demasiado tarde.

Mi padre me miró por encima de las gafas que utilizaba para trabajar con el ordenador.

—Voy a encargarte una tarea. Puede ser un solo cuadro o una serie de cuadros —dije—. Pero creo que te vendrá bien.

—De acuerdo —aceptó mi padre.

Yo respiré hondo.

—Hornos. —Dibujé uno con las manos, como una caja, rectangular. Abrí la imaginaria puerta—. Creo que deberías pintar hornos.

—Mierda.

—Piensa en ello. Un proyecto para el verano. El verano acaba de comenzar. Deja este trabajo tan patético y ponte a pintar. Yo me dedicaré a revelar negativos y a hacer copias en el cuarto oscuro y luego decidiré lo que quiero hacer con mi vida ahora que todo ha cambiado.

—Así que todo ha cambiado, ¿eh?

No podía hablarle sobre el futuro, aunque escondía la *Historia del futuro* en mis manos.

—Créeme. Todo ha cambiado.

Dejé los dos cuadernos de dibujos de nuevo en el cuarto oscuro para mostrárselos otro día a mi padre. Luego fui al banco. No te diré por qué fui al banco porque pensarás que estoy chiflada. Pero ¿acaso no había perdido el juicio por completo?

Fui al banco. Entré e hice lo que había ido a hacer.

Al hacerlo sonreí.

Cuando regresé a casa y entré de nuevo en el cuarto oscuro, miré la muela de Darla, que seguía en la encimera donde la había dejado. Decidí clavarla de nuevo en el techo junto con su mensaje. *No vivir tu vida es como suicidarte, sólo que lleva más tiempo.*

Sería de nuevo mi ramita de muérdago, y cada vez que pasara debajo de ella me daría suerte hasta que yo fuera lo bastante fuerte para convertirme en la líder de la resistencia.

Mi padre fue a la oficina de correos mientras yo imprimía cuatro fotografías.

La primera fue la del anciano del USS *Pledge*. Era una buena foto. Él sonreía un poco y me miraba como si se sintiera orgulloso de conocerme, de conocer a una chica que estaba informada sobre la guerra en la que él había combatido.

La siguiente imagen que imprimí fue la del botón del ascensor. Decía ABRIR PUERTA.

La tercera fue la de Peter mirándome en la zona de restaurantes del centro comercial. Su rostro mostraba una sonrisa sincera, como si un día quizá fuésemos a estar juntos hasta que tuviéramos el pelo blanco. Como si él viera algo en mí que le parecía encantador. No tenía nada que ver con un pito. Ni con unas tetas. Peter me miraba como si le gustara mi cerebro. Suponiendo que fuese posible captar eso en una fotografía, yo lo había captado.

Luego imprimí la foto que me había sacado luciendo las gafas de murciélago. Era muy chula. La pegué en *Historia del futuro* y escribí: *Glory O'Brien, francotiradora. Furiosa con el mundo.*

Miré nuestros cuadernos de dibujo —el de Darla y el mío—, uno junto al otro, y leí los títulos. *Por qué la gente toma fotografías* e *Historia del futuro*. En eso consisten las fotografías. Son la historia del futuro. Nos sobreviven y existen para demostrarnos que, aunque haya desaparecido, aunque no nos arrope y nos cante una nana por las noches, sigue allí, en haluro de plata y papel. Está allí porque puedes mirarlo y recordar. Es potente porque una vez plasmado en una imagen, cambia a medida que cambias tú.

—¡Voy a salir! —gritó mi padre desde lo alto de la escalera.

—¡Espera! —respondí. Había introducido mis copias en el baño, de modo que encendí la luz y subí la escalera.

Mi padre parecía nervioso.

—No te pongas nervioso —le dije—. Tienes las manos atadas, ¿recuerdas?

No me respondió, sino que atravesó la calle y se encaminó hacia la casa de Jasmine. Yo me senté en la mecedora en el porche delantero y lo observé.

Ed Heffner abrió la puerta y saludó a mi padre con un medio apretón de manos y un medio abrazo y creo que lo invitó a pasar, pero mi padre permaneció en el viejo y desvencijado porche hasta que al cabo de unos minutos apareció Jasmine.

Mi padre le dijo algo. Por eso me quedé en el porche. Quería que le dijera lo que tuviera que decirle. Jasmine dijo algo. Ed trató de decir algo pero Jasmine levantó la mano para silenciarlo. Ed se miró los pies durante unos instantes mientras mi padre y Jasmine seguían hablando.

Luego mi padre entregó la carta a Jasmine, se despidió de Ed con un gesto de la cabeza, bajó los escalones del porche y echó a andar hacia mí.

Cuando mi padre alcanzó la calle, Jasmine bajó los escalones y echó a andar tras él. Guardaba silencio, pero caminaba deprisa, agitando el sobre rasgado que contenía la carta sin desdoblar. Con las prisas, su vestido *hippy* se le enganchó entre las piernas. Cuando mi padre cruzó la calle y aterrizó junto a mí en el porche delantero, ella se detuvo, sin dejar de mirarnos, para dejar que pasara un coche.

—¡No puedes hacer esto! —gritó Jasmine.

—No tengo más remedio —contestó mi padre.

—¡Nos pertenece legalmente! —dijo ella al tiempo que cruzaba la calle.

—Enséñame el recibo de la última vez que pagaste impuestos sobre el terreno —soltó mi padre.

—Nosotros no creemos en los impuestos —replicó ella—. Lo sabes.

—Algo muy loable.

Jasmine suspiró y refunfuñó entre dientes.

—¿Por qué haces esto, Roy? ¿Por qué no te olvidas del tema?

—¿Qué tema?

—Darla.

Por fin. Dicho en voz alta y claro. Por Jasmine Blue Heffner. *Darla.*

Darla.

Darla.

Darla

—Era mi mujer —dijo mi padre—. ¿Por qué voy a olvidarme de ella? Esta casa es suya. Glory es su hija. —Mi padre dio un golpecito en el brazo de la mecedora—. *Esta jodida mecedora era suya.* Y ése —añadió, señalando la comuna de Jasmine— es su terreno.

—Y tú quieres robárnoslo —protestó Jasmine.

—No puedo robar algo que me pertenece —contestó mi padre—. En cualquier caso, ¿no has leído la carta? No soy yo. Es el municipio. Confórmate con el tiempo que has vivido ese sueño.

—Siempre has sido un gilipollas gordo y codicioso.

Creo que la reacción de Jasmine sorprendió a mi padre tanto

como a mí. Aunque quizá no nos sorprendió. Quizá sabíamos que Jasmine era una cretina egocéntrica que pensaba que los abogados y los municipios y los recaudadores de impuestos estaban muy por debajo de ella. Junto con nosotros.

—Tienes razón —respondió mi padre—. Por eso me enviaste esas fotos tan bonitas, ¿no? ¿Porque soy un gilipollas gordo y codicioso?

—Mi abogado se pondrá en contacto contigo —advirtió Jasmine.

Y mi padre respondió:

—Si quieres hacerlo por las malas, haré una copia de la escritura de cuando nos compraste el terreno. Excepto que no existe. Mala suerte.

Al oír eso me reí un poco. Era más bien una risita nerviosa.

Jasmine se quedó allí plantada, mirándonos.

—Estás tan chiflada como tu madre —dijo, mirándome.

Yo sonreí.

—Gracias.

————

Durante la cena, me di cuenta de que mi padre estaba disgustado.

—Es increíble que Jasmine reaccionara de forma tan mezquina.

—Espero que no te hayas tomado lo que dijo sobre mamá demasiado personalmente. Jasmine siempre ha sido una cretina egocéntrica.

Se me ocurrió hacer un comentario acerca de que la manzana nunca cae muy lejos del árbol, pero me abstuve. En lugar de ello me limité a comer y a pensar en Ellie y en lo que había visto durante la última transmisión que había recibido de Ed Heffner.

Ellie y los patos.

Ellie montándose en un coche.

Ellie marchándose de aquí. Para siempre.

Perdí el apetito.

Hoy mismo

Al día siguiente, Ellie se presentó al mediodía y me dijo que se mudaban.

—Hoy mismo —dijo—. Han estado toda la noche haciendo el equipaje. No quieren decirme por qué, pero Rick me ha dicho que es porque tu padre quiere recuperar el terreno.

—El municipio nos escribió varias cartas, según creo. Mi padre tenía las manos atadas.

—¿De modo que ha sido él?

—Más bien el municipio —repetí—. ¿Adónde os mudáis? ¿Lejos de aquí?

—No lo sé.

—¿No lo sabes?

—Creo que a otra comuna. Nos lo llevamos todo. Excepto las gallinas.

Al decir esto, rompió a llorar.

Me acerqué para abrazarla y ella me llenó la oreja de mocos, pero no me importó. Hace una semana, Ellie se aplicó el remedio contra las ladillas en nuestro granero. Hace una semana, nos bebimos al murciélago y vimos a Dios. Hace una semana, *éramos* Dios. Ahora éramos mortales, afectadas por las decisiones que tomaban nuestros padres.

—¿Cuidarás de mis gallinas por mí? —preguntó Ellie—. Hay suficiente pienso para unos meses. Quizá puedas volver a vender los patos en el sitio donde los compré. Las gallinas os darán huevos frescos.

—Ellie siguió parloteando sobre las gallinas y los patos. No presté atención a todo lo que dijo porque trataba de superar los intensos remordimientos que sentía.

—Desde luego —respondí—. Claro que cuidaré de ellas.

—He dicho a mis padres que quería quedarme. Tengo unas ganas locas de alejarme de todos ellos.

Mi padre, que imagino que oyó la conversación desde la cocina, se acercó y propuso:

—¿Por qué no vais a dar una vuelta en coche?

—¿Una vuelta en coche? —pregunté. Por fin iba a librarme de Ellie, ¿y mi padre proponía que la llevara a dar una vuelta en coche?

Mi padre se encogió de hombros.

—Creo que a Ellie y a ti os convendría pasar la noche en algún sitio donde podáis divertiros. ¿Qué os parece la costa? A vuestras madres les encantaba ir juntas a la playa.

—¿La costa? —Ellie se sorprendió—. Vamos a mudarnos. Acabo de decirlo.

Mi padre asintió.

—Pero tienes otras opciones, ¿no?

Ellie y yo nos miramos.

—No lo sé —respondió ella.

—¿Quieres intentarlo?

Quince minutos más tarde, Ellie y yo circulábamos por la autopista. Me sentía libre. Libre del instituto. Libre de remordimientos. Libre de Darla. Incluso libre de Ellie, aunque iba sentada a mi lado en el coche. La observé, preocupada y nerviosa en el asiento del copiloto, y vi que ella no se había librado de nada, y menos de Jasmine Blue.

—¿Estás segura de que quieres hacer esto? —pregunté.

—¿Adónde vamos?

—Adonde queramos. ¿Qué te parece la playa, como propuso mi padre? Está sólo a tres horas de aquí. Podemos meter los pies en el océano y regresar enseguida. Será divertido.

—La playa es una buena idea —dijo Ellie.

Lo era. Sin duda lo era.

—¿Le explicarás a Markus Glenn lo que ha ocurrido cuando lo veas? —preguntó Ellie—. ¿Le dirás que nos hemos mudado? —Entonces rompió a llorar.

—Pues claro.

—Pero no le digas que lloré. Pensará que me emociono con facilidad.

—¿Y? ¿Qué tiene de malo emocionarse?

—Los chicos lo detestan.

—¿Quién lo dice?

—Pues..., los chicos.

Yo me reí.

—¿Y ellos qué saben?

—Ya.

—En cualquier caso, ¿a quién le importa lo que les guste a los chicos? Ellos no hacen o dejan de hacer ciertas cosas porque a nosotras nos disgusten, ¿verdad?

—Tienes razón —respondió Ellie.

Al cabo de una hora nos detuvimos para hacer pis en una zona de descanso junto a la frontera con Nueva Jersey. Cuando salí del baño, me encontré a Ellie frente a la puerta con una expresión... ¿Triste? ¿Perdida?

Regresamos al coche y comprendí que algo iba mal.

—¿Y si no vuelvo a verlos? —preguntó.

—No lo sé.

—¿Y si se van y me dejan aquí?

—Siempre has dicho que te marcharías en cuanto pudieras. —Yo no quería que se sintiera mal. Pero no quería que olvidara todas las veces que me había dicho que deseaba largarse de aquí—. Pero no creo que se vayan sin ti, Ellie.

—Lo sé. Pero... es que...

—¿Quieres que demos la vuelta?

—Sí —respondió Ellie, y rompió a llorar de nuevo.

Dejé que llorara unos minutos y luego dije:

—Puedes marcharte cuando quieras. Y lo harás, ¿vale? Lo hemos visto.

Ella meneó la cabeza y siguió llorando y enjugándose la nariz y los ojos con un clínex empapado.

—Disfrutarás de una vida estupenda. Hijos. Dos nietos, ¿recuerdas?

Tomé la siguiente salida de la autopista, dimos la vuelta y enfilamos de nuevo hacia el oeste. No me importó. Tenía muchas cosas que hacer en casa, como comprar un horno nuevo, imprimir fotografías y seguir adelante con mi vida, porque no era Darla.

—¿Me dejas tu móvil? —preguntó Ellie.

Llamó a su casa y cuando Jasmine respondió por fin al tercer tono, ni siquiera se había dado cuenta de que Ellie se había marchado debido al trajín de la mudanza. Ya habían embalado y enviado la mayor parte de las cosas a su nuevo destino.

—Llegaré dentro de una hora más o menos —informó Ellie.

No oí lo que contestó Jasmine, pero su respuesta hizo que Ellie dijera estas cosas, por orden:

—Estoy a una hora en coche de casa. No puedo llegar dentro de diez minutos.

—No puedo decírtelo.

…

—Sí. Estoy con Markus.

…

—No. Claro que no.

…

—Una hora.

…

—De acuerdo. Esperaré a papá.

Y colgó.

—Supongo que éste es nuestro último día —dijo—. Me alegro de haber sido tu mejor amiga.

—Yo también —respondí.

—Lamento todas las tonterías que has tenido que aguantarme.

—No digas eso.

—En serio. Te dije que el horno microondas era una bomba atómica.

—Bueno, en cierto modo lo es.

—Glory, tu horno microondas no es una bomba atómica.

—Vale. Acepto tus disculpas.

—Es un desastre —espetó Ellie—. Todo es un desastre.

—Sí.

Yo no sabía a qué se refería. No sabía qué pensaba que era un desastre. ¿Es un desastre beberte un murciélago? ¿Es un desastre ver la historia del futuro? ¿Que tu mejor amiga pertenezca a una semisecta sin saberlo? ¿Que tu madre haya muerto? ¿Un libro?

El murciélago tenía un mensaje. Estaba muerto. Tenía un mensaje del más allá, que decía: *Libérate. Ten el valor de hacerlo.* Al margen del significado que encerrara para cada una de nosotras, estaba claro que significaba algo.

Qué le vamos a hacer

Llegamos a casa en menos de dos horas y la comuna estaba vacía. Las autocaravanas ya habían partido. Las puertas del granero estabas abiertas, ventilándose después de quince años de unas condiciones habitables poco higiénicas.

Lo único que quedaba eran las gallinas y los patos. Ellie fue a pasar un rato con ellos cuando comprobó que su habitación en la casa estaba vacía.

Mi padre me dijo que Jasmine se había presentado exigiendo registrar la casa en busca de Ellie.

Me dijo que mientras Jasmine registraba el piso de arriba, él había bajado al cuarto oscuro, había cogido el libro *Por qué la gente toma fotografías* y lo había abierto para sacar las viejas fotos «de los noventa» que ella le había dado y las había dejado en la mesa del comedor para que las viera al salir.

—¿Conocías la existencia de *Por qué la gente toma fotografías*? —le pregunté.

Él asintió con la cabeza.

Me dijo que al ver las fotos Jasmine se había puesto pálida. Ed la esperaba en el porche delantero, por lo que no había dicho nada. No podía hacer nada al respecto. Lo único que podía hacer era preguntarse qué pensábamos hacer ahora con ellas. Mi padre y yo no pensábamos hacer nada con ellas.

Qué le vamos a hacer.

Yo tenía sentimientos contrapuestos sobre todo el tema. Me alegraba de que Jasmine se hubiera ido. Me alegraba de que hubiéramos recuperado el terreno. Me alegraba de poder quedarnos con las gallinas y los patos de Ellie. O nuestras gallinas y nuestros patos. O de quienquiera que fueran ahora.

Pero me entristecía haber perdido a Ellie. Después de tantos años de querer librarme de ella, ahora me sentía triste. Esto no era un «qué le vamos a hacer». Era algo, pero no un «qué le vamos a hacer».

Subí a cambiarme y me puse un pantalón corto. El verano no tardaría en llegar.

Cuando bajé de nuevo, encontré a mi padre en el porche delantero, observando a Ellie. Estaba abrazando a sus patos. Tomó a sus patos uno por uno y los abrazó.

Yo atravesé corriendo la calle y la abracé.

—Todo te irá bien —comenté.

—Nunca me ha ido bien nada —contestó.

Saqué el cheque del bolsillo y se lo entregué. Estaba doblado en dos. Ella lo abrió.

—*¿Diez mil dólares?*

—No se lo digas a nadie. A nadie en absoluto.

—¿De dónde has sacado este dinero? —preguntó—. No puedo aceptarlo.

—Tienes que aceptarlo. Es un regalo —respondí—. No importa de dónde lo he sacado. Es mío. Tengo más. No te preocupes.

Ella miró el cheque. Miró a los patos. Me miró a mí.

—Con esto podrás marcharte.

Ellie trató de devolverme el cheque, pero yo levanté las manos para impedírselo.

—Siempre dijiste que querías marcharte.

—Pero… no… no sé cómo.

—Llámame cuando decidas marcharte y te ayudaré a hacerlo. Quizá podamos encontrarnos en el oeste, como siempre has querido, ¿de acuerdo? Sería estupendo. Pero no se lo digas a nadie. Es un cheque al portador. Es como si fuera dinero. No quiero que te lo quiten.

—Yo… no sé…

Ellie se guardó el cheque en el bolsillo de su falda. Lo palpó para cerciorarse de que estaba allí. Yo también lo hice. Luego la abracé y atravesé de nuevo la calle porque oí que se acercaba un coche.

Entonces la vi tal como me había mostrado la transmisión que había recibido. Ellie estaba en el prado, sola, llorando, rodeada por sus patos. El coche se detuvo. Ella se montó en él y partieron. Ellie no se giró.

Yo la observé y sentí que se me partía el corazón.

Se me partió porque comprendí que las transmisiones eran ciertas.

Se me partió porque sabía lo que iba a ocurrir. Lo que le iba a ocurrir a Ellie. A mí. Al mundo.

———————

—Tenemos que comprar un horno normal —informé a mi padre—. No podemos seguir comiendo esas porquerías preparadas en el microondas.

Él me miró por encima de las gafas.

—Eléctrico —dije.

Él asintió.

—¿Estás bien? —pregunté.

—Anoche encargué lienzos, lo cual supongo que te alegrará.

Sonreí.

—Pintaré hornos —anunció—. Los veo —añadió, dándose un golpecito en la cabeza—. Los veo aquí dentro.

Estaremos rodeados de hornos. Nos convertiremos en glotones después de años de pasar hambre. Los hornos serán nuestra válvula de escape. Mi padre pintará. Yo cocinaré.

Y tendremos un futuro.

———————

Esa noche, sentada en el porche en la mecedora de Darla, llamé a Peter. No flirteé con él. Le dije que quería seguir hablando con él sobre psicología. Le dije que me interesaba ir a la universidad.

—¿Irás al centro comercial mañana? —preguntó él—. Podemos hablar de ello mientras almorzamos.

—¿Por qué no trasladas tu experimento a la calle Mayor? Verás a un montón de transeúntes —le propuse—. La mitad de los restaurantes tienen terraza. Podemos pasarnos todo el día sentados en una y sonreír a la gente.

—Es verdad —repuso él—. Nos veremos allí. Al mediodía. En ese *pub* irlandés.

Cuando colgué, mi tren —el que llevaba una semana circulando a toda velocidad por la vía férrea— por fin se detuvo con suavidad. Nadie sufrió percance alguno en el vagón de pasajeros. Nadie derramó la comida en el vagón restaurante. Las personas que dormían en el coche-cama no sufrieron ningún contratiempo.

El tren se detuvo, simplemente. Y me bajé. Era el comienzo de la historia del futuro y el fin de Negro Máximo.

Y yo viviría.

Historia del futuro según Glory O'Brien

Habrá naves espaciales. Habrá curas para todas las enfermedades, incluido el odio. Nos libraremos de nuestros complejos. Cuando la población de la galaxia alcance cien trillones, nos daremos cuenta de que no somos nadie especial. Nos daremos cuenta de que todos estamos aquí para hacer algo. Nuestro deber es averiguar qué es. Y todos seremos iguales —fontaneros, presidentes, estrellas de cine, cavadores de zanjas—, y nadie querrá quedarse sentado perdiendo el tiempo. Porque la vida será de nuevo corta.

El palíndromo cósmico nos reducirá a ancianos de cincuenta años. A criaturas cuya esperanza de vida en la Tierra en el siglo veintiuno será como la de las mascotas, junto a las que atesoraremos cada momento que pasamos con ellas.

Sin embargo, seremos banales.

Sin embargo, no seremos nadie especial.

No se tratará de quién creemos que somos. Se tratará de lo que hacemos.

Yo haré grandes cosas.

Tú harás grandes cosas.

La mayoría de las personas no pueden asimilarlo.

¿Y tú?

Agradecimientos

Escribir libros es una tarea solitaria. Poner un libro en manos de un lector *no* es una tarea solitaria. Gracias a mi agente, Michael Bourret; a mi editora, Andrea Spooner, y a Deirdre Jones, a Victoria Stapleton y a todo el equipo de LBYR.

Bibliotecarios, maestros, libreros y blogueros: no tengo palabras para daros las gracias por vuestro apoyo. Sin vosotros, ¿dónde estaría yo? Aquí no, desde luego. Aquí no. Si pudiera enviaros a todos un rebaño de cabras o una tarta casera por todo lo que habéis hecho por mí, no dudaría en hacerlo. De momento, os ruego que aceptéis mi gratitud y un abrazo la próxima vez que os vea. A menos que no os gusten los abrazos. En tal caso os saludaré levantando los pulgares, con un gesto de la cabeza o agitando la mano.

Gracias a Andrew Smith conservé la cordura mientras escribía y corregía este libro. Cabe decir que no sólo es un escritor genial, sino un gran amigo y un golfista de primera. Vaya también mi agradecimiento a los estudiantes de Bryan High School en Omaha, quienes escucharon las primeras páginas de este libro en diciembre de 2011 y me instaron a que lo terminara para averiguar el resto de la historia. Todos me enseñasteis mucho esa semana. Ya sabéis a qué me refiero. Seguid siendo auténticos. Es la única forma de sortear tantas tonterías.

Soy conciente de que he utilizado en este libro una palabra de nueve letras que empieza por *F* que quizá disguste a algunos. (Una pista: termina con *eminista*). Deseo dar las gracias a mis padres por haberme educado con esa palabra que empieza por *F* y por no sucumbir al estúpido consumismo rosa que los asediaba por todos lados mientras criaban a sus hijas. Podéis sentiros orgullosos, Sarigs. Sois la historia de nuestro futuro.

A Topher y a mis chicas, que tienen que soportar la vida de esta autora: os quiero. No podría hacer esto sin vuestro apoyo y vuestra comprensión. Gracias. No se me ocurren otras tres personas con las que preferiría formarme, brillar y quemarme. *Kapow.*

PUCK

AVALON

Libros de *fantasy* y *paranormal* para jóvenes, con los que descubrir nuevos mundos y universos.

LATIDOS

Los libros de esta colección desprenden amor y romance. Ideales para los lectores más románticos.

LILLIPUT

La colección para niños y niñas de 9 a 14 años, con historias llenas de aventuras para disfrutar de verdad de la lectura.

SERENDIPIA

Una serendipia es un hallazgo inesperado y esto es lo que son los libros de esta colección: pequeños tesoros en forma de historias contemporáneas para jóvenes.

SINGULAR

Libros *crossover* que cuentan historias que no entienden de edades y que pueden disfrutar tanto un niño como un adulto.

¿Cuál es tu colección?

Encuentra tu libro Puck en:
www.mundopuck.com

 puck_ed

mundopuck

ECOSISTEMA DIGITAL